De Wilde Voetbalbende

1 Leon de slalomkampioen
2 Felix de wervelwind
3 Vanessa de onverschrokkene
4 Joeri het eenmans-middenveld
5 Deniz de locomotief
6 Raban de held
7 Max 'Punter' van Maurik

Joachim Masannek

Max

'Punter' van Maurik

met tekeningen van Jan Birck

Uitgeverij Ploegsma Amsterdam

Kijk ook op www.ploegsma.nl

STICHTING NEDERLANDSE
KINDERJURY
2007

AVI 8

ISBN 90 216 1960 1 / NUR 282/283
Titel oorspronkelijke uitgave: 'Die Wilden Fußballkerle – Maxi
"Tippkick" Maximilian
Verschenen bij: Baumhaus Buchverlag, Frankfurt am Main 2006
© Baumhaus Medien AG, Frankfurt am Main
Vertaling: Suzanne Braam
Omslagontwerp: Studio Rietvelt
© Nederlandse uitgave: Uitgeverij Ploegsma bv, Amsterdam 2006

Inhoud

Een schok in nieuwjaarsnacht 7

De rebel die niet praat 12

Gedonder op school 19

Mini-killerrobots en een zwart gat 22

De bom tikt 27

Winterkampvuur 31

De geheime ontmoetingsplaats 38

Gesnapt 44

De strijd begint 48

Helemaal alleen 51

Papbenen 56

Gered 65

Weggestuurd 67

De Wilde Bende 74

De draak ontwaakt 80

De zwarte punt 82

Lopen, Max! Lopen! 85

Reuzen aan de rivier 89

De val 93

Het wilde bos 95

De draak slaat toe 98

Drievoudig M.S. 106

Patat met mayo 111

De Wilde Voetbalbende stelt zich voor 114

Een schok in nieuwjaarsnacht

'Kom nou! Waar wachten jullie op? Laten we het meteen doen!' riep Vanessa. Ze strekte haar handen uit naar de zwarte bal.

Haar woorden vulden Camelot. Camelot was het clubhuis van de Wilde Voetbalbende V.W., een boomhuis van drie verdiepingen. Haar woorden verdwenen door de spleten in de houten wanden. Ze stierven weg in de nieuwjaarskou. Daarna was het stil.

Althans, voor de anderen.

Muis- en muisstil...

Maar ik hoorde alles.

Ik hoorde hoe Felix zijn adem inhield. Ik hoorde hoe de astma in zijn borst zich daartegen verzette.

Ik hoorde Vanessa's sweater zachtjes ruisen, zo zat ze te trillen.

Ik hoorde het hart van Leon in zijn keel kloppen. En ik hoorde Fabi tandenknarsen. Hij hield ook zijn hand boven het aambeeld.

De oude houten ton werd door ons het aambeeld genoemd. De voetbal van de Wilde Bende lag op het aambeeld. Die bal had Raban de held deze nieuwjaarsnacht gekregen van het voetbalorakel in het oude stadion van Amsterdam.

Eens in de 24 jaar kwamen de geesten van de grote voetballers bij elkaar in het Olympisch Stadion. In nieuwjaars-

nacht. Om middernacht. Maar alleen als in de nachten vóór nieuwjaarsnacht de vuurvliegjes hadden gedanst.

Papbenen – kromme tenen, maar schrikken is kicken! Dat was mijn nieuwe vloek die ik alleen maar in gedachten kon zeggen.

We konden het nog steeds niet geloven. Maar het was echt gebeurd. We hadden het met onze eigen ogen gezien. De geesten van het winnende elftal van het EK in 1988 hadden met Raban gevoetbald. Echt waar. Het was ongeveer een uur geleden gebeurd. Eerst hadden ze met hem gespeeld. Daarna hadden ze over zijn lot beslist.

Raban de held, met het rode haar en zijn bril met jampotglazen, was niet goed genoeg om profvoetballer te worden.

Papbenen – kromme tenen, maar schrikken is kicken! We waren blij dat het voetbalorakel niet over ons had beslist! Maar Raban was niet voor niets onze held. Dat wist hij al heel lang. En daarom was hij klaar voor de nieuwe opdracht. De opdracht die hij van het orakel had gekregen. Net als Willie, onze trainer. Vierentwintig jaar geleden had Willie zijn opdracht gekregen. Toen had het orakel hem voorspeld dat hij ooit de beste trainer van de wereld zou worden. En hij trainde ons!

En daarom was het nu zo muis- en muisstil.

Ik bleef alleen van alles horen. Ik, Max 'Punter' van Maurik, hoorde in de stilte.

Ik hoorde Jojo. Of liever gezegd: ik hoorde het wiebelen van Jojo's tenen in zijn opgelapte sandalen.

Naast me stond Marlon. Ik kon hóren dat hij denkrimpels in zijn voorhoofd trok. Ik kon hem hóren nadenken. Zijn gedachten sloegen als golven tegen de houten wanden van Camelot.

Intussen hielden we allemaal onze rechterhand boven de bal. Onze vingers raakten elkaar. Het leek of ze vonkten zoals sterretjes die worden aangestoken.

En toen raakten onze handen de bal.

De bal van de Wilde Bende!

WOEOEESSJJ!

'Woeoessjj!' Het leek of de zwarte bal een soort toverkracht uitstraalde. Rabans tong klakte droog toen hij hem van zijn verhemelte lostrok. Hoestend en stotterend bezwoer hij zijn nieuwe opdracht die vanaf nu ook de onze was.

En daarom stonden we naast hem. Papbenen – kromme tenen, maar schrikken is kicken! zei ik in gedachten. Met steeds krachtiger wordende stemmen vielen we hem bij in

de belofte: 'Wij, de leden van de Wilde Voetbalbende V.W. uit de Duivelspot, doen mee aan het WK in 2010. Dat beloven: Leon de slalomkampioen; Marlon de nummer 10; Fabi de snelste rechtsbuiten ter wereld; Rocco de tovenaar; Raban de held; Jojo die met de zon danst; Josje het geheime wapen; Joeri 'Huckleberry' Fort Knox, het eenmans-middenveld; Max 'Punter' van Maurik, de man met het hardste schot ter wereld; Vanessa de onverschrokkene; Deniz de locomotief; Marc de onbedwingbare; en Felix de wervelwind. Wij beloven dat vandaag, op de eerste dag van het jaar 2006.'

Raaaah! Dat was een goed gevoel. Onze stemmen klonken zeker en vast. We hielden onze rug recht en onze kin omhoog. Ook ik deed de belofte. Ik deed mijn mond open. Ik vormde met mijn lippen elk woord, heel precies. Maar hoe ik ook mijn best deed, er kwam geen geluid. Zelfs fluisteren of sissen lukte niet!

Papbenen – kromme tenen, maar schrikken is kicken! Ik kreeg een kleur. Het vuurwerk dat opeens losbarstte, drong nauwelijks tot me door.

Buiten waren onze ouders bij elkaar gekomen om samen met ons het nieuwe jaar in te luiden. Willie, de beste trainer van de wereld, schoot de ene vuurpijl na de andere af. Onder een regen van vallende sterren wensten we elkaar heel veel geluk in het nieuwe jaar. Dat wil zeggen, ik knikte en glimlachte alleen maar. Maar iets anders werd van mij, van Max, ook niet verwacht.

Max 'Punter' van Maurik, de man met het hardste schot ter wereld, praatte niet. Zelfs aan de telefoon zei Max geen woord. Dat wist iedereen. En daarom viel het ook niemand op dat ik opeens écht geen woord meer kon uitbrengen.

Ook mijn ouders merkten het niet. Mijn vader sloeg een arm om me heen. Ik voelde zijn overhemd tegen mijn wang en ik snoof zijn geur op. Die vond ik altijd lekker. Hij rook naar koffie en sigaren. Maar opeens was die geur vreemd. Ik werd bang. Ik vond het altijd leuk op Camelot. Maar nu werd ik opeens doodsbang dat ik mijn vader wel eens voor altijd kon verliezen. Daarom keek ik hem ook niet aan. Dat kon ik niet. Ik kon niemand aankijken. Ik hield mijn vader alleen maar vast. Ik schaamde me en keek naar de grond. En mijn vader streek me als altijd door mijn haar.

'Kom, Max,' zei hij. Hij gaf mij een klap op mijn schouder. 'We gaan naar huis.' We wonen in een statig huis, op Eikenlaan 1. Ik kon het vuurwerk nog horen toen ik op mijn kamer was. Maar diep in mijn binnenste had ik het gevoel: Max 'Punter' van Maurik, voor jou is nu alles voorbij.

De rebel die niet praat

De volgende dagen gingen in stilte voorbij.

Weet je hoe stil het is als je niet praat? Als je niets kunt zeggen? En je opeens lijkt op een vis met uitpuilende ogen? Het is het geluid van sneeuwvlokken die smelten op de ruiten. Zo stil.

Het was winter. Er werd niet gevoetbald. De Duivelspot, de grootste heksenketel aller heksenketels en het stadion van de Wilde Voetbalbende V.W., lag onder een bobbelige laag donkerbruin ijs. De droom van het WK in 2010 werd een grap. En aan de kerstvakantie kwam geen einde.

's Nachts betekende die stilte de wind die over de hard bevroren sneeuw op het dak schraapte. Of: ijspegels die langzaam langer werden. Of: de schaduw van mijn slaapkamerraam die in het licht van voorbijgaande auto's over de muur gleed. Of: de computer in mijn vaders werkkamer die om half drie 's nachts eindelijk uitging.

Ik lag in bed. Ik kon niet slapen. Het was drie uur 's nachts. Toen begon het! Heel diep en heel zachtjes in mijn borst. Het leek op de lentewind die door een huis waait als je de ramen opengooit. Die wind blies van mijn kruin tot in de punten van mijn tenen. Het was een lekker gevoel. Zoiets als wanneer je in de zomer voor het eerst op blote voeten loopt.

Wij, de Wilde Voetbalbende, koersten af op het wereldkampioenschap, lachte een gedachte in me. Maar opeens

voelde ik een ruk. De lentewind werd ijskoud en het begon te stormen. Mijn gewrichten leken vastgeroest, alsof ze niet meer van mij waren. Ik had het gevoel dat ik in een oud harnas zat. Diep in mijn hart fluisterde een stem: 'Doe toch eindelijk iets, Max! Kom, schiet op!'

Maar wat moest ik doen? Papbenen – kromme tenen!

En toen was de vakantie eindelijk voorbij. Gelukkig! Het was nog donker en koud, maar toch had iemand het schoolplein al schoongeveegd. We waren de eersten. En zoals altijd allemaal tegelijk. Uit het donker doken we op. Met de zwarte capuchon van ons sweatshirt diep over ons hoofd getrokken raceten we op onze fietsen door de poort naar het fietsenrek.

Op het schoolplein ademden we damp uit als een kudde wilde buffels op de prairie. Toen ging alles bliksemsnel. Leon trok een bal uit zijn tas. Fabi, Marlon, Felix en ik maakten twee doelen van onze schooltassen. Het speelveld besloeg het hele schoolplein. Andere kinderen kwamen het school-plein op. Ze stonden in de weg net als de plantenkassen en het kunstwerk midden op het plein. Met twee teams van vijf renden we overal omheen en tussendoor.

Vijf tegen vijf. Jojo, Marc en Deniz zaten op andere scholen, maar verder was de Wilde Voetbalbende compleet. Marlon stopte de bal met zijn borst en passte hem blind en zonder aanzet door naar Rocco. De Braziliaanse tovenaar begroette de bal soepel met links, ging met rechts eroverheen. Hij poortte Felix met links en tilde de bal met rechts via Joeri op de millimeter nauwkeurig naar Leon. Zonder franje schoot de topscorer. Met de buitenkant van zijn schoen draaide hij de bal om Vanessa heen die zich rekte en strekte. Ze dook in de linker benedenhoek van het doel alsof ze in een verwarmd zwembad dook. Maar ze haalde het niet tot de bal. Ze stortte neer op de bevroren grond van het schoolplein en keek hul-peloos toe hoe de bal tegen de 'binnenkant van de paal' van het schooltassendoel sloeg. Daar maakte hij een paar spron-getjes op de plaats. Hij draaide, en rolde langzaam maar zeker

richting doellijn. Fabi stak zijn handen al in de lucht: 'Alle gillende krokodillen! Leon, wat een goaltje!'

Maar daar dook Josje op uit het niets. Met gespreide benen maakte hij een sensationele scheervlucht. In de laatste seconde kreeg hij de bal te pakken. Met een grote boog schoot hij hem terug in het speelveld. En daar wachtte Raban.

'Voor mij! Voor mij!' riep hij en hij liep achterwaarts voor de bal uit, die vanuit de lucht op hem toeschoot.

'Voor mij! Voor mij!' Hij sprong omhoog.

Op dat moment stond ik naast hem in de lucht. Ik haalde uit met een kungfu-schaar en schoot de bal met een volley van een meter vijfendertig hoogte in het doel.

'WOEOESSJJ!' deed hij, en toen 'BAFF!'

De bal vloog naast de verstarde Vanessa in het doel. Hij sloeg tegen de muur van het schoolplein, die het net van het doel was. En toen klapte hij – BOINNNGGG – tegen Vanessa aan. Hij sprong stuiterend weer weg en raakte – DASJEPPERDONG – een paar vuilnisbakken. Vervolgens suisde hij met grote vaart naar het grootste raam van het schoolgebouw. Het was het raam van de lerarenkamer.

'Oei-oei!' riep Fabi. Hij veegde het snot van zijn gezicht. 'Dat was de goal van de eeuw, Max. Alleen heb je er niks aan.'

Op dat moment sloeg de bal tegen het raam van de lerarenkamer. De ruit trilde. Het was een donker, machtig, melodieus geluid. Met mijn kiezen op elkaar wachtte ik op het veel hardere rinkelen van glas. Maar dat bleef uit. De vuilnisbakken hadden iets van de kracht van het schot weggenomen. De ruit hield het. Een van de leraren verscheen voor het raam om naar de boosdoener te zoeken. Op dat moment ging de bel en stormden we de school binnen.

'Een-nul! We hebben gewonnen!' riep Rocco triomfantelijk. 'Max, wat een doelpunt!'

Ik liet mijn beroemde, geluidloze, grijnzende lach zien. Sidderende kikkerdril! Wat was ik gek op voetballen. Zo ging het goed met me en zo wilde ik dat het mijn leven lang zou blijven. Maar vijf minuten later stond ik in de klas voor het bord naast de leraar. Door mijn vrienden heen keek ik naar de muur. Ik moest een nieuwjaarsgedicht opzeggen. Dat had meneer Hoogmoed, onze leraar, bepaald. Maar uit mijn mond kwam geen enkel geluid.

Mijn vrienden grijnsden opgelucht. Dat zag ik uit mijn ooghoeken. Ze hadden net zo'n bloedhekel aan dat gedicht als ik. Ze bewonderden mijn moed. Ik kwam als een rebel in opstand tegen het opzeggen van dat stomme versje. Zoals zo vaak vonden ze mijn zwijgen cool en wild. Ze sloten er weddenschappen op af, hoe lang ik het deze keer zou volhouden. Ik redde het al drie minuten. Toen klakte Leon vol eerbied met zijn tong. Ik had het record van Fabi verbroken. Leon had de weddenschap gewonnen en zijn grijns stak me aan. Op mijn gezicht verscheen weer mijn beroemde, geluidloze, grijnzende lach. De lach van de man met het hardste schot ter wereld.

Helaas had meneer Hoogmoed geen respect voor deze prestatie. 'Wat is er? Ik wacht!' riep hij nu al voor de derde keer tegen me. Zijn ogen werden levenloze gleufjes en hij plukte steeds nerveuzer aan zijn wenkbrauwen. Het rampzalige aftellen was begonnen. Dat wisten we allemaal.

'Max!' siste Raban geschrokken.

'Max! Dit was wild genoeg!' riep Vanessa.

Nu werd het de allerhoogste tijd voor het gedicht. En tot nu toe had ik het ook steeds gered. Ik had mezelf overwonnen en met aarzelende, trillende stem de regels opgezegd. Maar nu, na de grote schok in nieuwjaarsnacht, kon ik niet praten. Mijn lippen begonnen te trillen.

'Ik hoor niets!' dreigde mijn leraar. Hij boog zich zo ver naar me toe dat ik mijn spiegelbeeld in zijn pupillen zag.

'Ik hoor niets,' herhaalde meneer Hoogmoed. 'Ken je het niet?'

Ik knikte heftig. Dat was het punt niet. Ik kon het zelfs achterstevoren opzeggen.

'O ja? Je kent het. En waarom hoor ik dan niets?' Het gezicht van meneer Hoogmoed vertrok in een boze, spottende grimas. 'Waarom sta je dan zo stom te grijnzen en me uit te lachen? Hé! Ik praat tegen je! Heb je misschien je tong doorgeslikt? Helemaal per ongeluk, omdat je hem toch al nooit mist? Of ben je vannacht opeens stom geworden?'

Ik keek hem aan en wilde al knikken, toen meneer Hoogmoed zijn puntenboekje tevoorschijn haalde.

'Dank je, Max. Zitten. Dat was een drie.'

Hij keek me aan over de rand van zijn bril, wachtte tot ik me had omgedraaid en riep in mijn rug: 'En natuurlijk volgt een brief aan je vader!'

Ik schrok vreselijk en draaide me razendsnel weer om.

'Aha. Dat werkt tenminste nog!' grijnsde meneer Hoogmoed tevreden. 'Oké. Ik vergeet de brief. Maar alleen als je nu onmiddellijk zegt dat het je spijt en het gedicht opzegt.'

Ik balde mijn vuisten en keek mijn leraar in zijn ogen. Dat lukte me een fractie van een seconde en toen draaide ik mijn hoofd weg. Hij mocht mijn tranen niet zien.

'Ik vind dit heel jammer,' zuchtte meneer Hoogmoed schijnheilig. En hij ging door met de les.

Gedonder op school

De bel ging en dat was een bevrijding. De eerste schooldag van het nieuwe jaar zat erop. We renden de gang op om onze jassen te pakken.

'Niks aan de hand!' probeerde Leon me te troosten. 'Die brief schrijft hij nooit!'

'Nee. Daarvoor is Hoogmoed veel te lui!' viel Fabi hem bij. Maar toen betrok zijn gezicht. 'Sidderende kikkerdril,' siste hij.

'Krabbenklauwen en kippenkak!' viel Leon zijn vriend fluisterend bij.

Achter ons stond meneer Hoogmoed in hoogsteigen persoon. Met gekruiste armen drukte hij zijn tas tegen zijn borst. Het leek een schild dat bestand was tegen aanvallen van buitenaardse wezens. De vloeken van Leon en Fabi vervlogen als waterdruppels boven een vulkaan.

'Knetterende donder en flitsende bliksem!' fluisterde Raban. Ook hij schrok van Hoogmoed.

Toen werd het stil.

Hoogmoeds bril gleed traag langs zijn bezwete neus naar de punt.

Ik wachtte nog even en sloeg toen toe.

Ik wist niet wat ik deed. Maar mijn vuist wist het. Opeens ramde die vuist drie slagen op de kast.

BAMPFF-TARRATT-WOINNNGGK!

De school trilde als een gigantische gong. Elk levend wezen bleef staan. Zelfs de wintervliegen stopten midden in hun vlucht en staarden me aan. Stofjes landden op hun neus en ik dacht net: nu gaan ze niezen. Maar het was alleen Vanessa.

'Hatsjieie!' nieste ze. En ze kauwde rustig verder op een streng van haar roodbruine rommelige haar.

'Ja! Kippenklauw en krabbenkak! Je hebt gelijk,' mompelde Joeri.

Hij zei het heel zachtjes, want Hoogmoeds hoofd zwol op. Hij werd vuurrood, als een tomaat die te lang in de zon heeft gelegen. Hij keek me zo strak aan alsof hij me met zijn blik aan de muur wilde spijkeren. Ik kon me nauwelijks meer bewegen. Maar ik keek niet weg. Deze keer doorstond ik Hoogmoeds blik. Ik weet niet waarom. Ik was verschrikkelijk bang. Maar iets in mij was sterker. In elk geval even. Na een of twee keer ademhalen was ik er vast van overtuigd dat de tomaat zou ontploffen.

FLETSJJ! PLATSSS! KLEDDERR!

Zo zou de tomaat ons onder haar stortvloed van ketchup begraven. Daarom liet ik mijn blik zakken. Alleen daarom, en dat was precies Hoogmoeds triomf.

'Ik ga hier met je vader over praten,' brieste hij en hij liep weg.

Zijn schoenen knersten over de plavuizen. Pas toen de deur van de lerarenkamer achter hem dichtviel, werden we wakker uit onze betovering.

De wintervliegen tolden door de lucht. Ze waren moe van alles. Toen vloekte Leon: 'Krabbenklauwen en kippenkak! Wat was dat nou?'

'Ja, sidderende kikkerdril!' siste Fabi.

En Joeri spuwde een brok uit zijn keel. 'Alle brakende beren! Max! Wat heb je gedaan?'

Rocco, de zoon van de Braziliaanse voetbalheld van Ajax, sloeg een kruisteken en fluisterde duister: 'Santa Panter!'

Felix zei met opeengeklemde kiezen zachtjes: 'Shit!'

'Hatsjieie!' nieste Vanessa.

En met 'Zeilorenbrokkenpiloot!' vond Raban de held zijn nieuwste scheldwoord uit. 'Man, o, man!' Hij schudde zijn hoofd. Daarna wist hij niets meer te zeggen. Daarom gaf hij mij een klap op mijn schouder. In stilte liepen we door de gang en door de grote hal naar de buitendeur. Boven aan de trap naar het schoolplein bleven we staan.

Mini-killerrobots en een zwart gat

Op de trap stonden Josje en Marlon. Josje was Joeri's jongere broer. Hij zat in groep 3. Marlon was de oudste van ons elftal. Hij was Leons broer en een jaar ouder dan wij allemaal. Wij zaten in groep 7 en Marlon in groep 8. En net als hij keken we op dat moment allemaal naar de lucht.

Daar, in het eindeloze staalblauw, zat een gat. Rond en zwart. Niemand scheen het te zien, behalve wij. De andere leerlingen liepen gewoon naar huis. Pas toen het schoolplein leegliep, konden we Marc, Jojo en Deniz ontdekken. Hoewel ze op andere scholen zaten, waren ze alle drie gekomen. Dat zwarte gat had hen hierheen gelokt, zelfs van de andere kant van de stad.

'Dampende duiveldrol!' zei Marc met opeengeklemde kiezen.

'Bij alle bra-hakende beren!' grijnsde Deniz, de Turk, met zijn knalrode hanenkam. En Jojo uit het kinderopvanghuis stond er ook, maar hij zei niets.

Het zwarte gat was zo groot als de ondergaande zon. Het bewoog zich zachtjes heen en weer. Toen begon het langzaam te draaien. Langzaam, heel langzaam lazen we wat er op de glanzende buitenkant stond. 'De Wilde Voetbalbende' stond er. Daartussen grijnsde het oranje monster van de Wilde Bende. Het was door Marlon ontworpen toen we Ajax wilden verslaan.

'Hé! Wat staan jullie daar nou nog!' verbrak een stem de stilte. Even krompen we geschrokken ineen. Maar toen lachten we. Het was niet de stem van een van onze leraren. Het was de stem van Willie, onze trainer. Hij stond op het dak van het fietsenrek en spande rustig zijn katapult.

'Ik maakte me al zorgen om jullie!' riep hij. Hij richtte opnieuw en schoot.

We hoorden het gillende geluid van een sirene. En toen klonk er een harde knal: 'PATS!'

Een oorverdovende knal was het. En daarmee klapte de zwarte ballon. Een heleboel zwarte rolletjes sprongen uit de geknapte ballon en vielen naar beneden.

'Mini-killerrobots!' flapte Raban eruit. Dat was niet als scheldwoord bedoeld. Hij balde zijn vuisten. 'Die zijn uit het laboratorium ontsnapt. Of ze zijn door onze vijanden gestuurd om ons te verlammen. Wegwezen allemaal!'

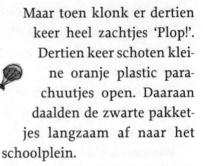

Maar toen klonk er dertien keer heel zachtjes 'Plop!'. Dertien keer schoten kleine oranje plastic parachuutjes open. Daaraan daalden de zwarte pakketjes langzaam af naar het schoolplein.

'Tot ziens!' riep Willie lachend. Het volgende moment was hij spoorloos verdwenen.

Hij moest van het dak van het fietsenrek zijn gesprongen. Maar niemand lette daarop. We renden over het schoolplein en vingen de parachuutjes op. De zwarte pakketjes bleken kokertjes van karton. In elk kokertje zat een brief. Een zwarte natuurlijk, beschreven met knaloranje inkt.

'Hoi, winterslapers en ijsheiligen!' lazen Vanessa en Marlon.

'Staat dat er echt? Willie, pas een beetje op je woorden!' riep Rocco.

Maar Raban viel hem in de rede. 'Sssst! Stil! "Er is iets te doen!"' las hij.

'Ja, hier staat iets over *buit* en *gewoon*... en eh... *lang* en *rijk*, geloof ik,' stotterde Josje.

'Belangrijks, slimbo. Daar staat iets "buitengewoon belangrijks",' corrigeerde Joeri hem.

'Dat bedoel ik!' vond Josje.

Joeri grinnikte. Fabi las verder: 'Kruip dus eindelijk uit jullie holen, alsjeblieft!'

'En kom naar de wei bij de rivier! Vandaag, zodra het donker wordt. We maken een kampvuur,' nam Felix het enthousiast over.

'Een wa-hat?' vroeg Deniz met de hanenkam. Hij had net zo'n bril met jampotglazen op als Raban.

'Precies!' lachte Jojo. 'Een wa-hat in de winter en nog in het donker ook.'

'Bingo. Je zegt het!' bevestigde Leon, onze aanvoerder. Met dezelfde droge ernst las hij de laatste zin voor: 'Zoals het hoort voor je op oorlogspad gaat.'

Woesssj! Tsakk!

Deze zin trof ons als een bijlslag. Jojo keek naar zijn kapotte sandalen. We konden ons voorstellen hoe koud hij het vanavond zou hebben. Nee, in werkelijkheid had hij het nu al koud, op klaarlichte dag. Net als wij allemaal. En jij krijgt het nu ook koud. Dat weet ik zeker. Of ben je het misschien vergeten? Die keer dat Willie het tegen ons had over indianen en oorlogspad en buffeljacht? Begint er iets te dagen? Die keer dat hij het daarover had, zei hij dat wij niet meer in de Duivelspot hoefden te komen. En dat de Wilde Voetbalbende niet meer bestond. Dat schoot ons nu te binnen. De koude rillingen liepen over onze rug.

'Wat is hij in hemelsnaam van plan?' vroeg Felix somber.

'Driedubbele duiveldrol!' fluisterde Marc. 'Hoe moet ik dat nou weten?'

'En wat dan nog! We zullen het vandaag wel horen,' zei Fabi. Hij schrok van zijn eigen moedige woorden.

'Ja, Fabi heeft gelijk!' bevestigde Leon. Hij stak zijn hand in de lucht voor de high five. 'Alles is cool!' lachte hij. Hij wilde zichzelf moed inpraten, maar had niet goed om zich heen gekeken. Want naast hem stond niet zijn beste vriend Fabi, de coolste die net zo wild was als hij. Nee, naast hem stond ik. En je hebt het vast al begrepen: als je de groet van de Wilde Bende niet afsluit, als je hem niet met 'zolang je maar wild bent!' beantwoordt, brengt dat ongeluk. Maar het was nu toch al te laat. Ik sloeg in Leons hand en ik deed mijn uiterste best om te praten. Dat moet je echt geloven. Ik wilde het zeggen. Zeker weten!

'Zolang je maar wild bent!' schreeuwde het in mijn hoofd. Maar uit mijn mond kwam geen enkel geluid.

De bom tikt

'Zodra het donker wordt.' Ik kon nauwelijks meer wachten. Ik wilde niet dat er voor het donker werd iets ergs ging gebeuren. Maar dat gebeurde wel. Om vijf uur precies kwam mijn vader thuis van zijn werk en om kwart over vijf ging de telefoon op het kastje in de gang. Het was meneer Hoogmoed.

'Goedenavond, meneer Van Maurik! Het spijt me dat ik u stoor. Maar ik heb een gegronde reden.'

De stem van mijn leraar aan de telefoon kwam uit de gang de trap op, door de gesloten deur de speelkamer binnen, waar ik was. Ja ja, ik weet het, dat kan helemaal niet. Zelfs als mijn vader de telefoon op 'luid' had gezet, zou een normaal mens niets verstaan hebben. Want mijn kleine zusje zat naast me en zong met haar 23 barbiepoppen alle nummers van een cd van K3. Zo hard ze maar kon. Het was een oorverdovend lawaai. Maar als je bijna nooit iets zegt, zoals ik, dan hoor je heel goed. Dan hoor je beter dan iedereen. Ik hoorde zelfs dat mijn vader drie rimpels in zijn voorhoofd trok: de drie boze rimpels die ik maar al te goed kende. Ze veranderden hem in de correcte en keiharde bankier, die hij nu ook steeds vaker thuis was.

'Een ogenblik,' legde mijn vader meneer Hoogmoed het zwijgen op. 'Max, kom onmiddellijk hier!'

Zijn stem klonk vlijmscherp. Die duldde geen tegenspraak. Zelfs mijn zusje hield op met zingen.

'Wauw!' zei ze hoofdschuddend. 'Dat klonk serieus. Een beetje woedend, eng. Met een flinke scheut hel erin. Heftig!'

Ze knikte tevreden. En toen verscheen op het gezicht van dit zevenjarige taalgenie een boosaardige grijns. Ze pakte twee van haar barbiepoppen en begon het volgende nummer van de cd van K3 te zingen. Zingen kon ze niet. Zingen en voetballen. Maar wat had ik daar op dit moment aan? Papbenen – kromme tenen, maar schrikken is kicken! Ik stond op en balde mijn vuisten. Ik raapte mijn moed bij elkaar en vermande me. Toen liep ik de kamer uit. Mijn sokken slif-slaften zachtjes over het geboende parket. De deur van de speelkamer viel in het slot. Ka-lak! Mijn vader tikte met zijn wijsvinger ongeduldig tegen de hoorn en aan het andere einde van de lijn slaakte meneer Hoogmoed een diepe zucht. Zo dadelijk zou mijn vader het startschot aan de klikspaan geven. Mijn hart bonkte in mijn keel: 'B-BOEMM! B-BOEMM!' En 'SJJJJJ' suisde mijn ademhaling in mijn hoofd.

'SJJJJJ!' Ik stond boven aan de trap en keek naar mijn vader, beneden in de gang.

'Wat is er precies aan de hand?' vroeg hij in de hoorn.

Meneer Hoogmoed begon te hoesten. Hij stikte bijna. Maar toen kwam de aanklacht tegen mij kletterend naar buiten als water uit een brandslang. Alleen was het geen water, maar benzine: '...en daarmee ondergraaft hij ook mijn respect. En wat nog het ergste is: voor de andere jongens maakt hij een clown van zichzelf!'

Die laatste woorden deden een vlam ontsteken in het hoofd van mijn vader.

'Dank u,' zei hij alleen nog maar en hij hing op.

Hij zag me boven aan de trap staan. Zijn ogen grepen me vast als twee ijzeren haken. Maar ik keek mijn vader niet aan. Dat kon ik niet. Met een vuurrood hoofd staarde ik naar de vloer en wachtte op de ondergang van de wereld.

Eindeloze seconden verstreken. Toen klonk het alarm van mijn vaders horloge. Het geluid verscheurde de stilte. Ik haalde opgelucht adem. Het was tien voor half zes en dat was de tijd waarop mijn vader elke middag de krant ging lezen. Precies 22 minuten lang. Daarna checkte hij zijn e-mail. En dan kwamen de beursberichten. Pas na het avondeten, tussen 19.43 en 19.58 uur, net vóór het journaal, stonden de problemen in de familie op zijn programma. En daarom had mijn vader nu geen tijd.

'We praten er straks over!' zei hij alsof ik hem naar het weer had gevraagd. Maar de klank van zijn stem zei genoeg. Hij bedoelde: 'Dat doe je me nooit meer aan!'

Toen liep hij weg.

Ik had het gevoel dat hij mijn binnenste had laten bevriezen. Ik kon me niet meer bewegen. Maar zo gauw hij de deur van de kamer achter zich had dichtgeslagen, rende ik weg. Ik had geen seconde te verliezen en – gelukkig! – had ik ook al plannen voor de tijd tussen 19.43 en 19.58 uur. Schoenen, jack en pet lagen klaar in de badkamer en precies 52 seconden later klom ik uit het badkamerraam op het dak van de garage. Van daaruit slingerde ik me langs de oude appelboom naar beneden, naar de vrijheid. Mijn fiets leunde tegen de stam. Ik sprong erop en sprintte weg. Ik trapte de angst uit mijn lijf. Vijf minuten en 43 seconden had ik nodig om in de wei bij de rivier te komen. Dat was een wereldrecord.

Winterkampvuur

De andere leden van de Wilde Bende zaten al om het vuur. Ik trok mijn fiets op zijn achterwiel omhoog. Het leek of ik op een pony zat. Met dampende adem en rokende banden stopte ik bij hen. Mijn ogen gloeiden als kolen. Ik keek naar Willie. Wat was hij van plan? Wat ging er met de Wilde Voetbalbende gebeuren? Ik wilde niet dat het mijn schuld was. Nee, hoewel ik de kreet van de Wilde Bende op het schoolplein niet had beantwoord. En ik wist dat dat ongeluk betekende.

Willie stond onverstoorbaar spiesen met worstjes uit te delen. Als laatste bood hij mij er een aan.

'Kom,' zei hij met een glimlach. 'Het is koud vanavond.'

Aarzelend nam ik de spies aan. Ik zette mijn fiets tegen de eerste de beste boom en ging bij het vuur staan.

'Ga toch zitten!' zei Willie glimlachend.

Maar dat was gemakkelijker gezegd dan gedaan. De kring van de Wilde Bende was helemaal gesloten. Nergens was een opening gelaten. Rocco keek me vijandig aan. Hij was de meest bijgelovige van allemaal.

'Wat is er nou?' zei Willie. 'Dit is Max "Punter" van Maurik. De man met het hardste schot ter wereld. Kennen jullie hem opeens niet meer?'

Ik keek verlegen naar mijn schoenen. Ik wilde zo graag zeggen: 'Natuurlijk ben ik niet veranderd. Ik kan alleen niet meer praten. Echt niet. Is jullie dat niet opgevallen?'

Dat had ik willen zeggen.

Maar tegelijkertijd wilde ik dat niemand iets zou merken. Ik wilde niet anders zijn. Ik wilde dat alles bleef zoals het was, snap je? En dat leek te lukken.

'Kom dan,' zei Marlon. Hij wees op een plek tussen hem en Rocco.

De bijgelovige Braziliaan vond het helemaal niet leuk. 'Santa Panter in de roofdierenhemel! Ook dat nog!' schreeuwde hij boos.

Maar even later hingen de worstjes toch boven het vuur te roosteren. We snoven de geur op. Iedereen vroeg zich af wat Willie van ons wilde. Op deze donkere winteravond, hier bij de rivier. Maar we bleven stil. Misschien hielp de warme – door de FIFA en de KNVB goedgekeurde – drank ook. Raban deelde hem rond. De drank verwarmde ons en dat gaf ons

moed. We aten wel drie spiesen per persoon, omdat Willie de beste worstjes van de hele wereld maakt. Raban zelfs vijf. En ik geloof dat hij er toen nog wel een had gelust. Maar hij leek tevreden. En dat waren we allemaal: tevreden en rustig. En dat was precies wat Willie wilde.

'Ahum!' kuchte hij. Hij schoof de klep van zijn honkbalpet in zijn nek. Dat deed hij altijd als hij zich niet zo op zijn gemak voelde.

'Ahum!' kuchte hij opnieuw. Hij krabde op zijn voorhoofd. 'Om te beginnen spijt het me dat ik op school zoveel drukte heb gemaakt. Maar ik wist niet in wat voor wereld jullie nu leven. Op dit moment bedoel ik. Na het voetbalorakel en na Rabans grote visioen over het wereldkampioenschap in 2010. Zoiets gebeurt niet elk jaar, hè? Je verandert.'

Hij knipoogde tegen Raban. Die gloeide zo van trots dat zijn bril ervan besloeg.

'En daarom heb ik jullie allemaal gevraagd vanavond te komen. Net zoals naar mijn sleepartij in de kerstvakantie. Maar toen heeft maar één van jullie gedurfd.'

Ja, daar had hij gelijk in. Toen was alleen Raban gekomen. De held was nu zo trots dat hij zijn bril moest afzetten om hem te poetsen. Willie grijnsde tegen hem. Tevreden ging zijn blik rond. Ten slotte bleven zijn ogen op mij rusten. Bliksemsnel keek ik in het vuur.

'Max! Gaat alles goed?' vroeg hij. Ik knikte vlug.

Willie aarzelde even. In zijn ogen blonk het glimlachje dat meer wist dan me lief was. Maar hij liet me met rust.

'Oké, dan!' zei hij. 'Zo'n WK is namelijk echt vet. Zo vet als een kerstgans en die ligt lekker in je maag, toch? Zo midden in de winter als je niet naar buiten kunt om eens flink te bewegen?'

'Nou, dan verjagen we de winter toch?' riep Felix. 'Max!

Heeft je vader al een nieuwe wereldbol gekocht? Die schiet je dan gewoon door het raam!'

'Ja, door het raam van de kamer!' riep Josje. 'En dan – PATS! – tegen zijn hoofd!'

Daarmee bedoelde hij het hoofd van míjn vader. De Wilde Bende lachte zich halfdood. Dat zou niemand ooit vergeten. Vorig jaar had ik de voorjaarsvakantie voor hen gered van de ijstijd.

Maar Willie werd heel ernstig.

'Mmm. Ik weet niet. Dat hebben jullie eerder gedacht!' bromde hij. 'Kort nadat dat met die wereldbol gebeurde, waar jullie nu zo om lachen. Toen Rocco erbij gekomen is. Jullie hadden Dikke Michiel verslagen en hem als een vette kwal van ons veldje geschopt.'

Papbenen – kromme tenen! Daarom hadden we allemaal koude rillingen gekregen toen Leon het woord 'oorlogspad' in Willies uitnodiging voorlas. Toen, met Dikke Michiel, had Willie ook over oorlogspad gesproken. Over buffeljacht en wat een Luke Skywalker zonder Darth Vader kan zijn. Maar wij hadden niet naar hem geluisterd. In onze ogen waren we het beste voetbalteam ter wereld. Hoewel we pas één wedstrijd achter de rug hadden, droomden we van finales, kampioenschappen en een snelle carrière als profvoetballer. En dat droomden we net zo lang tot Rocco's vader ons uit zijn tuin en Willie ons uit de Duivelspot gooide.

'Oké. Krabbenklauwen en kippenkak!' Leon vond als eerste zijn wildheid terug. 'Wat moeten we doen?'

'Het wereldkampioenschap voetballen vergeten,' antwoordde Willie.

'Santa Panter!' vloekte Rocco tegen mij.

'Hè? Waarom?' protesteerde Fabi.

'Heeft Raban dan tegen ons gelogen?' brieste Vanessa.

'Stinkende apenscheten! Hebben wij dat gedoe in het oude stadion dan allemaal gedróómd?' Raban zette zijn bril weer op. De dikke glazen bundelden zijn woede zoals een vergrootglas de zonnestralen bundelt tot een laserstraal. Maar die laserstraal liet Willie ijskoud.

'Nee. Maar het volgende WK waar wij misschien aan mee kunnen doen is pas in 2010! Dat duurt nog vier jaar!' antwoordde hij droog en kalm. 'Zo lang houden jullie dat niet vol!'

'Ik lach me dood!' schoot Leon terug.

'Ik hoop van niet,' counterde Willie, 'want dan moeten we het Stadskampioenschap Zaalvoetbal zonder jou spelen.'

'Wacht eens even!' riep Leon. Op dat moment schoten vonken uit het kampvuur omhoog. Ze gloeiden als vallende sterren. 'Een ogenblik!'

'Wat zei je daar?' Vanessa sprong op. Opeens kwamen we allemaal overeind.

Alleen Willie zat nog en keek listig naar ons op.

'Jullie hebben het goed gehoord. Er bestaat een Stadskampioenschap Zaalvoetbal!'

Schrikken is kicken! Dit was wel een al te gek bericht. We keken elkaar beurtelings enthousiast en verbijsterd aan. De rookwolken die uit onze neus en mond kwamen, dansten als dotten watten om ons heen. Maar Willie was nog niet uitgesproken. Hij hief zijn hand op en zijn listige glimlach verdween. 'Maar er zitten wel twee addertjes onder het gras!' Hij krabde op zijn voorhoofd.

'O ja? En wat dan nog!' riep Fabi vastbesloten. Hij was de problemenspecialist in ons elftal. Voor hem bestond er geen onoplosbaar probleem. En zeker niet als het om voetbal ging. 'Vertel! Waar wacht je nog op? Wat is het probleem?' begon hij te jagen.

Willie keek hem aan. Toen draaide hij zijn honkbalpet weer naar voren. Hij trok de klep diep over zijn ogen en staarde in het vuur. 'Ten eerste nemen alleen de twintig beste teams deel aan het kampioenschap zaalvoetbal. Dat wil zeggen dat we ons volgend weekend moeten zien te plaatsen. Ten tweede is de Duivelspot hopeloos bevroren. En al was hij niet bevroren, hij is lang geen záál. Hebben jullie al eens in een zaal gespeeld? Altijd lawaai! Daarbij vergeleken is het in de grootste heksenketel aller heksenketels zo rustig en stil als op de maan.'

De dotten watten die tussen ons dansten verwaaiden in de wind.

'Dat zijn de twee addertjes onder het gras,' zuchtte Willie. Hij porde het vuur nog eens op. 'Zonder eigen zaal, waarin we kunnen trainen, hebben we geen schijn van kans. Dan liggen we er bij de plaatsingsronde al uit.'

Woeoesj! Tsakk!

Dat was de bijl die dromen aan stukken hakt. Niemand van ons bezat een gymzaal. De een na de ander ging weer zitten. Beurtelings pookten we in het vuur en zochten tevergeefs naar een oplossing. Toen riepen Fabi en Leon opeens praktisch tegelijk tegen elkaar: 'Hé! Wacht! Ik wil je even spreken.'

Ze sprongen op en liepen naar de rivier. Opgewonden gebarend stonden ze bij het glinsterende water. Hun stemmen waren zo zacht dat het leek of ze het grootste geheim van de wereld bespraken. Ten slotte namen ze een besluit.

'Hé, we willen jullie graag iets laten zien!' riep Fabi. Hij zei het aarzelend.

'Maar alleen als jullie precies doen wat wij zeggen!' zei Leon. Hij zei het zo streng dat niemand iets durfde te vragen.

De geheime ontmoetingsplaats

We sprongen op onze fietsen, namen Willie op zijn brommer tussen ons in en spurtten weg. Leon en Fabi vuurden ons aan. Ze joegen langs de rivier naar een doorwaadbare plaats, waarvan wij het bestaan niet wisten. In volle vaart reden we erdoorheen. Wanden van water spatten hoog op. Aan de overkant van de rivier verdwenen we in het bos. Daar groeiden bomen en struiken dwars door elkaar. Enkele veelgebruikte paden leidden de begroeide heuvels op en af. En toen niemand van ons meer wist waar hij was, sprongen Fabi en Leon van hun fiets en zetten ze tegen een boom.

'Zetten jullie ook allemaal je fiets weg en jij je brommer, Willie,' zei Leon. En toen dat gebeurd was, vervolgde hij: 'Bind nu allemaal je sjaal voor je ogen als een blinddoek.'

'Waarom? Wat is dit voor onzin!' schold Deniz. 'Ik weet toch al ni-hiet meer wa-haar ik ben!'

'Dit is geen onzin,' legde Fabi uit. 'De plek waar we jullie heen brengen, kennen alleen Leon en ik. Het is onze geheime ontmoetingsplaats. En geheim moet hij blijven. Duidelijk? Ook na het kampioenschap zaalvoetbal.'

'En daarom moeten jullie geblinddoekt,' herhaalde Leon zijn bevel.

'Anders gaan we nu terug!' voegde Fabi er nog dreigend aan toe. 'En daarmee uit!'

Nog één keer keken we naar onze aanvoerders. Toen volgden we hun bevel op. We bonden elkaar onze sjaals voor onze ogen. Leon en Fabi controleerden nauwkeurig of we ook werkelijk niets konden zien. Toen pakten we elkaar bij de hand. Struikelend liepen we achter hen aan door het bos. Het terrein was heuvelachtig. We kwamen bij een houten brug. Er zaten duidelijk gaten in de bodem. Kiezelstenen werden door ons geschuifel door de gaten geschopt. We

hoorden ze in het water plonzen. Het was een spookachtig geluid. Ten slotte hoorden we hoe een poort piepend en knarsend openging. Het ijzer was verroest. Toen waren we binnen. De sjaals mochten af. De piepende poort bleek te bestaan uit twee enorm hoge schuifdeuren die nu weer werden dichtgeschoven.

'Alle suizende slingerapen!' siste Deniz, de Turk.

'Pfff, Santa Panter in de roofdierenhemel!' zei Rocco. 'Marlon, had je dat van je kleine broertje gedacht?'

Maar Marlon was even sprakeloos als de rest van de Wilde Voetbalbende. We stonden in een reusachtige, oude loods. Hij was zo groot dat we het einde pas konden zien toen Fabi

een knop in de meterkast omdraaide en reusachtige lampen aansprongen.

En toen zagen we alles.

Op de houten wanden van de ruimte rustte een stalen dak. En daaronder was eindeloos veel ruimte. De vloerplanken waren oud en door talloze voeten van werklieden gladgeslepen. Het was gewoon een perfecte ruimte voor onze training zaalvoetbal.

'Dampende kippenkak!'

'Stinkende apenscheten! Wat is dit?' verbaasde Raban zich.

'Een oude loods die al een paar jaar niet meer wordt gebruikt,' antwoordde Fabi. 'Nu is hij van Leon en mij.'

'Ja, luister goed!' riep Leon met een trotse grijns. 'Tot we stadskampioen zaalvoetbal zijn, zijn jullie onze gasten!'

'Wat vind jij, Willie? Kan deze loods voor een gymzaal doorgaan?' vroeg Fabi met een brede grijns.

Willie floot zachtjes tussen zijn tanden. 'Natuurlijk, dit is precies wat we nodig hebben,' zei hij glimlachend. 'Nou ja, zo ongeveer!' Hij rolde de mouwen van zijn hemd op en spuwde in zijn handen. 'Kom op. Waar wachten jullie nog op? Haal gereedschap en planken. We moeten de gaten in de wanden dichten! En doelen zullen er ook moeten komen. Leon en Fabi? Er is zeker geen gereedschap in jullie geheime ontmoetingsplaats?'

Ha! Dat was bijna een belediging. In een oogwenk haalden Leon en Fabi gereedschap en planken tevoorschijn. Willie deelde ons in. Een paar uur later waren niet alleen de gaten in de wanden gerepareerd, maar was de zaal leeggeruimd en geveegd. Aan de kopse kanten stonden twee echte doelen.

'Zo, en nu maken we onze kring!' zei Leon.

We liepen naar het midden van de hal. Daar stelden we ons op, de armen om elkaars schouder en de hoofden naar het midden gebogen. Zo stonden we daar en keken elkaar diep in de ogen. Zelfs ik kon dat.

'En nu zweren jullie!' zei Leon zachtjes, maar met vaste stem. 'Jullie zweren dat jullie deze plek nooit zullen verraden. Dat jullie er nooit alleen naar op zoek gaan. En dat jullie hem direct na het kampioenschap zaalvoetbal weer vergeten.'

'Dat zweren we!' antwoordden we allemaal. Dat wil zeggen, ik bewoog weer een keer alleen maar mijn lippen.

'Dan is alles cool,' lachte Fabi.

'Ja, zolang je maar wild bent!' schreeuwden we, zo hard dat de wanden het terugkaatsten.

Maar ik moest mijn vingers in mijn oren stoppen. Ik kon dat geschreeuw niet verdragen. Papbenen – kromme tenen! Wat was er met me aan de hand? Gelukkig merkte niemand het. We bonden elkaar weer onze sjaals voor de ogen. Leon en

Fabi brachten ons door de knarsende deuren en over de spookbrug terug naar onze fietsen. Vandaar ging het door het wilde woud. We reden door de doorwaadbare plaats. Aan de overkant reden we stroomopwaarts langs de rivier naar de wereld die we allemaal kenden. Bij de plek van het kampvuur spraken we af: we zouden elkaar de volgende dag direct na school bij de doorwaadbare plaats in de rivier ontmoeten. Toen gingen we uit elkaar en iedereen reed moe maar tevreden naar huis.

Gesnapt

De klok op de kerktoren sloeg twaalf keer: middernacht. Ik was bij ons huis gekomen. Het stak groot en donker af tegen de sterrenhemel. Het zag er helemaal niet meer uit als het huis waarin ik al woon sinds ik kan denken. Het leek op een boze reus met één oog in zijn voorhoofd. Dat ene oog was het verlichte raam van de werkkamer van mijn onvermoeibare vader. Dat oog staarde me nu vijandig aan. Maar het gaf me ook de kans om weer naar binnen te klimmen. Zoals elke nacht zou mijn vader tot half drie werken. Tegen die tijd lag ik allang braaf en onschuldig in bed.

Mijn uitstapje was niemand opgevallen. Zelfs het tuinhek stond nog zo ver open dat ik er met mijn fiets doorheen kon glippen, zonder dat het piepte. Het touw in de appelboom naast de garage hing als altijd weggestopt tussen de klimop. Ik trok me eraan op. Op het dak van de garage vond ik het laddertje met vier sporten. Zoals het hoorde. Langs het laddertje klom ik naar het raam van de badkamer. Ik deed het bijna met mijn ogen dicht. Sinds Fabi me deze 'vluchtweg' had laten zien, had ik hem al tig keer gebruikt. En mijn vader had me maar één keer gesnapt. Dat was toen ik van de eerste training terugkwam. De training voor de wedstrijd om de Duivelspot, die toen nog 'het sportveldje' heette.

In de legendarische wei, waarin vanavond het kampvuur had gebrand, hadden we getraind. Toen ik terugkwam door het badkamerraam zat mijn vader op het toilet. Ik werd gesnapt.

Maar waarom ik daar nu aan moest denken? De badkamer was donker en het raam stond op een kier. Zo behoorde het in elk geval te zijn. Langzaam en zachtjes duwde ik het raam verder open naar binnen. Maar het gaf deze keer niet mee. Gillende krokodillen! Ik duwde harder. Toen probeerde ik het raam heen en weer te bewegen. Op dat moment zag ik het briefje pas dat tussen het raam geklemd zat. Daardoor ging het dus niet open. Ik kon het nog net opvangen, voor het op de badkamervloer viel.

Alsjeblieft, Max, gebruik gewoon de voordeur en bel aan. Zoals iedereen.

Het was opeens doodstil.

Er schoot me direct van alles te binnen. Het nieuwjaarsgedicht dat ik niet had kunnen opzeggen. De drie die dat opleverde. De klap tegen de kastenwand en het telefoontje van mijn leraar met mijn vader. Als reusachtige, omvallende torens stortten ze met veel kabaal terug in mijn bewustzijn. Maar het donderende lawaai werd veroorzaakt door mijn stappen op de kiezels van het garagedak. De sprong vanuit de appelboom op de oprit was reusachtig. Met een harde dreun klapten mijn voeten op het asfalt. Ik drukte op de bel bij de voordeur. Ik had het gevoel dat mijn trommelvliezen scheurden. Mijn ademhaling raasde als een orkaan door mijn hoofd.

Papbenen – kromme tenen, maar schrikken is kicken! Zo is het dus als je niet kunt praten! Daarna bonkte mijn hart even hard als de voetstappen achter de voordeur.

Ik hoopte vurig dat het mijn moeder was die de deur zou

opendoen. Maar de kleur van de badjas achter het gewapende matglas in de deur was paars. En de gestalte was veel te groot, te breed en te statig.

'Kom!'

Dat was alles wat mijn vader na een eindeloos strenge blik zei. Starend naar mijn schoenen liep ik achter hem aan. Hij ging zijn werkkamer binnen. Ik volgde hem over de dure parketvloer. Vanaf mijn derde jaar was ik hier niet meer binnen geweest.

Mijn vader ging achter zijn bureau zitten. Ik liet me zakken in de grote stoel die aan de andere kant voor het bureau stond. En ik zakte zo diep weg in de bekleding dat ik met mijn neus bijna onder het bureaublad gleed. Ik kon van mijn vaders gezicht niet méér zien dan zijn adelaarsogen, zijn bril-

letje en zijn haar. Tenminste, als ik mijn blik een fractie van een seconde van mijn schoenen losmaakte.

'Ik zie dat je ook nu niet gaat praten,' zei mijn vader. De minachting in zijn stem bezorgde me een steek in mijn maag. 'Jij staart alleen maar naar je schoenen, of niet? Max! Kijk me aan, alsjeblieft!'

Dat was geen verzoek, maar een bevel. Ik slikte en slikte nog eens en balde mijn vuisten. Toen keek ik over het bureaublad omhoog, recht in zijn adelaarsogen.

'Max, waarom ben je zo laf? Waarom maak je een clown van jezelf tegenover iedereen?'

Na deze twee vragen hoorde ik mijn eigen ademhaling en hartslag niet meer. Ik hoorde alleen maar dat mijn vader zijn ogen sloot. 'Slig,' klonk het.

Toen bleef het eindeloos stil.

Ik keek naar het patroon in het tapijt. Kiezelstenen uit de rivier lagen her en der rond mijn schoenen.

'Luister goed,' verbrak mijn vader de stilte. 'Dit moet afgelopen zijn! Je hangt voortaan niet meer de clown uit! En zolang er op school nog problemen zijn, kun je het voetballen én je wilde vrienden vergeten. Je hebt huisarrest, voor onbepaalde tijd. En de appelboom voor de garage wordt morgen gekapt.'

Mijn vader wachtte nog een halve minuut. Toen boog hij zich weer over zijn werk. Zijn vingers gleden over het toetsenbord alsof er niets was gebeurd. Dat kon ik niet begrijpen. Met moeite stond ik op uit de stoel en liep de werkkamer uit.

De strijd begint

Wat er die nacht verder gebeurde, weet ik niet meer. In elk geval was die nacht zwart. Zo zwart als de shirts van de Wilde Voetbalbende.

Ik werd wakker van een motorzaag die zich in de stam van de appelboom vrat. Het was een oorverdovend lawaai. Ik sprong meteen uit bed en trok mijn pyjama uit. Ik liet hem op de vloer vallen. Mijn bed liet ik voor wat het was. Ik liep naar de kast. Tegelijk met de trui die ik wilde aantrekken, rukte ik er nog drie uit de la. Ik gooide ze op de vloer. Ik pakte vier broeken, zes T-shirts, twaalf paar sokken en een stapel onderbroeken. Alles dwarrelde door de kamer. Het leek of het stormde en sneeuwde tegelijk. Toen ontdekte ik mijn zusje in de deuropening.

'Ben je helemaal gek geworden!' fluisterde ze. 'Wil je nog meer ruzie?' Een van mijn onderbroeken viel over haar kleine hoofd. 'Gadver!' Vóór ze zich van deze schok hersteld had, knalde ik de deur al achter me dicht. Ik had me bedacht en liet alle spullen liggen.

'Je rent je eigen ondergang tegemoet! Snap dat dan toch!' schreeuwde ze me achterna. Op de overloop hingen een paar ingelijste foto's. Door het dichtknallen van mijn deur vielen ze op de tegelvloer. De barsten sprongen in het glas. Ik stormde de trap af en begroette mijn ouders aan de ontbijttafel zonder een woord te zeggen. Vroeger, tot het einde van vorig jaar, had ik in elk geval nog 'Hoi!' gefluisterd. Maar dat had ook niemand echt kunnen horen. Mijn vader luisterde eigenlijk nooit. Hij zat verborgen achter zijn krant als achter een geluiddichte wand. Alles wat ik die ochtend deed, ging aan hem voorbij. Hij zag ook niet dat ik de warme chocolademelk met opzet náást mijn beker over het witte tafellaken goot.

Mijn moeder staarde me met grote ogen aan. Dat vond ik erg. En de laatste zin van mijn zusje schoot door mijn hoofd: 'Je rent je eigen ondergang tegemoet! Snap dat dan toch!'

Ik griste mijn lunchtrommel van het aanrecht en rende naar buiten.

Voor de garage waren twee mannen van een tuinierbedrijf bezig de resten van de appelboom op hun vrachtwagen te laden. Ik pakte vlug een dikke, knoestige tak, greep mijn fiets en reed met die tak naar school. Ik kwam tien minuten te laat.

De les was al begonnen, maar dat had ik zo gepland. Ik voelde iets in mijn binnenste. Dat iets wist precies wat het moest doen. Daarom pakte ik de tak en liet hem ratelend langs het metalen hek van het schoolplein gaan. Binnen ging ik daarmee door langs de radiatoren in de gang. Het rammelde en ratelde alsof een schroothoop op instorten stond. En omdat iedereen al in de klas zat, leek het lawaai in de stilte dubbel zo groot.

Juffen, meesters en leerlingen stormden de klassen uit en gaapten me aan. Maar ik wachtte geduldig en rustig bij mijn eigen lokaal. Ik liet de stok ratelen en sloeg ermee tegen de radiator tot onze meester, meneer Hoogmoed, in de deuropening verscheen. Met een vuurrood hoofd torende hij boven me uit. Achter hem gluurden Leon, Fabi en Marlon naar mij. Hoogmoed brieste van woede. De lucht die hij uitstootte leek zo warm als vuur. 'Wat denk je eigenlijk wel, Van Maurik?'

Tot meer kwam hij niet. Ik keek hem aan. Ja, opeens kon ik dat. Ik keek hem recht in zijn ogen. Toen gaf ik hem de tak en wachtte tot hij die verbluft aanpakte. Ik draaide me om en liep weg. Jazeker! Knetterende kanonnen! Hoewel de les al was begonnen, liep ik terug naar de buitendeur. Echt waar! Ik, Max van Maurik, de brave, stille jongen uit het statige huis op Eikenlaan 1. En alsof het vanzelf sprak, ging iedereen voor me opzij. Iedereen week terug. Ik kon mijn ogen nauwelijks geloven. Mijn moed slonk met elke stap. Ik rekende erop dat ik ieder moment kon worden teruggeroepen of gepakt. Hoe dichter ik bij de buitendeur kwam, hoe slechter mijn voeten naar me luisterden. Ik zat aan een elastiek dat me wilde terugtrekken. En dat elastiek werd steeds sterker. Het leek of de deur naar het schoolplein groter en groter werd. Ook de ijzeren klink was gigantisch. Ik probeerde hem naar beneden te drukken, maar er kwam geen beweging in. Toen las meneer Hoogmoed wat ik op de appelboomtak geschreven had: PAPBENEN – KROMME TENEN, MAAR SCHRIKKEN IS KICKEN!

Meneer Hoogmoed las het minstens vijf keer. Toen spuwde hij vuur.

'Max van Maurik! Vanavond nog ga ik naar je vader om hierover te praten! Je hebt je ontzettend misdragen. En dat is niet meer goed te maken, hoor je?'

Toen deed ik iets stoms. Ik draaide me brutaal om naar meneer Hoogmoed. Maar tegelijkertijd voelde ik dat ik weer de Max werd die ik tot vanmorgen was. Ik schaamde me. Ik was bang. Ik staarde naar mijn voeten. Toen draaide ik terug, duwde de buitendeur open en rende langs de buitentrap naar beneden. Ik stormde over het lege schoolplein regelrecht in het niets...

Helemaal alleen

Pas aan de rivier kwam ik een beetje tot bedaren. Ik pookte met een stok in het gedoofde kampvuur. Om me heen dwarrelden dikke sneeuwvlokken neer. Het moest al middag zijn, want korte tijd later verscheen Willie met de Wilde Bende.

'Stinkende apenscheten!' riep Raban toen hij met zijn mountainbike met de tractorachterband achter me stopte.

Ik was met sneeuw bedekt. De witte deken plakte aan me als het vel van de Verschrikkelijke Sneeuwman.

'Sidderende kikkerdril!' siste Fabi.

Maar Marlon stak zijn hand op. Hij wilde dat iedereen zijn mond hield. Toen keek hij naar mij. Zijn ogen prikten in mijn rug. Ze waren zo warm dat ik me wel moest omdraaien.

'Hoi, Max. Alles goed?' vroeg hij.

Ik knikte.

'Ik geloof er geen woord van,' zei Rocco boos. 'Bij Santa Panter in de roofdierenhemel!'

Ik kromp ineen. Maar Marlon viel tegen Rocco uit: 'Stil. Hou je kop eens een keer, man!' Toen kwam hij naar me toe en ging op zijn hurken zitten. 'Max. Je weet dat Rocco gelijk heeft. En jij weet ook wat er met Joeri gebeurd is toen hij dacht dat wij niet meer achter hem stonden!'

En of ik dat wist. Ik staarde naar mijn schoenen. Dikke Michiel was de Darth Vader in onze wereld. Hij was de gemeenste van allemaal. Hij had Joeri gedwongen ons, de jongens van de Wilde Bende, te bestelen en over te lopen naar zijn kant. Ja, Joeri, ons eenmans-middenveld, werd een Onoverwinnelijke Winnaar. Hij trok met Dikke Michiel door het Donkere Woud naar de steppe. En nog veel verder dan de graffiti-torens naar hun rovershol.

'Max! Hé, Maxi!' haalde Marlon mij uit mijn gepieker. 'Weet je ook nog wie Joeri gered heeft? Weet je nog wie maling had aan die eerste wedstrijd in de Duivelspot? De eerste wedstrijd van de E1-junioren? In ons eigen stadion met de splinternieuwe lichtinstallatie van bouwlampen? Weet je nog wie Joeri belangrijker vond dan al het andere?'

Ik staarde nog steeds naar mijn schoenen.

'Dat was jij, Max, jij alleen. Jij verbrak je zwijgen en zei twee hele zinnen. Dat was meer dan anders in twee jaar. Precies kan ik het me niet meer herinneren. Je zei iets van: "De Duivelspot en de competitie interesseren me geen bal.

Joeri is onze vriend en ik speel morgen niet zonder hem."
Zoiets heb je gezegd. En dat heeft Joeri gered. We hebben
elkaar bijgestaan. We hebben de Zeis een papieren zak over
zijn hoofd getrokken. En we hebben Dikke Michiel eerst met
honing en toen met kippenveren overgoten. Dat was vet
wild, of niet soms?'

Marlon glimlachte en dat stak de anderen aan. Zelfs Rocco
grijnsde tevreden. Alleen ik deed niet mee. Ik staarde nog
steeds naar de grond.

Ja, dat was wild, dacht ik. Maar dat was ook iets anders. Dat
had ik voor Joeri gedaan. Niet voor mezelf. Want voor mij
ging dat niet. Als ik iets voor mezelf deed, eindigde dat zoals
vanmorgen. Dan klapte de deur achter me dicht. Ik goot de
chocolademelk over het tafellaken. En ik sloeg op school met
een knoestige tak tegen radiatoren.

'Hé, Max!' riep Marlon. Hij legde zijn handen op mijn
schouders en schudde me door elkaar. 'Max! Word wakker!'

Ik keek hem aan. De sneeuwvlokken dansten en dwarrelden als kleine ufo's om me heen. Ik moest huilen. Gelukkig
viel het niemand op, want mijn gezicht was al nat van de
sneeuw.

'Kom! We moeten gaan,' zei Marlon. Hij sprong op en liep
terug naar de anderen. 'Leon! Waar wacht je nog op? We willen trainen!'

Leon aarzelde geen moment.

'Op naar onze geheime gymzaal!' riep hij. En weg waren ze
weer.

Ik bleef in de sneeuw zitten. Zelfs toen mijn vrienden verdwenen waren, verroerde ik geen vin. Maar het werd zó ijzig
koud. Toen sprong ook ik op mijn fiets en ik spurtte achter
de anderen aan. Ik reed zo hard als ik kon: door de wonderlijke doorwaadbare plaats en door het wilde bos. Heuvel op,

heuvel af. Ik wist absoluut niet meer waar ik was. Maar op de volgende heuveltop had ik geluk: ze stonden achter een lagere heuvel verderop. Bij de spookbrug over het riviertje waren ze bezig elkaar te blinddoeken.

'Hé, wacht! Wacht op me!' wilde ik roepen, maar ik kon het niet. Daarom reed ik de heuvel af zonder te remmen en knalde de volgende heuvel weer op. Ik moest mijn stuur stevig vasthouden zodat het niet omsloeg tegen de boomwortels. Ik reed met een sprong over de heuveltop. Ik suisde naar beneden en zeilde rakelings langs de geblinddoekte hoofden van mijn vrienden. Voor Leon en Fabi kwam ik tot stilstand. Die konden nog zien. Ze sprongen geschrokken opzij. Op

mijn gezicht verscheen mijn beroemde, geluidloze, grijnzende lach.

'Sidderende kikkerdril!' zei Fabi stomverbaasd. 'Je bent er!'

'Dat was je geraden ook!' fluisterde Leon. Hij probeerde zijn schrik te verbergen.

'Wat is er aan de hand?' riep Marlon.

'Niets. Helemaal niets!' Leon grijnsde tegen me. 'Maar Max is gekomen en hij had je bijna een nieuw kapsel bezorgd.'

'Santa Panter!' siste Rocco wantrouwig.

Mijn lach verdween. Zonder een woord te zeggen zette ik mijn fiets tegen een boom en bond mijn sjaal voor mijn ogen. Toen pakten we elkaar bij de hand. Leon en Fabi leidden ons over de brug en door de hoge, knarsende schuifdeuren de loods in, de geheime ontmoetingsplaats van Leon en Fabi. Hier gingen we trainen voor het Stadskampioenschap Zaalvoetbal.

Papbenen

Gefascineerd keken we de loods rond. We hadden deze geheime ontmoetingsplaats van Leon en Fabi omgebouwd tot een voetbalzaal. Maar we waren nog steeds heel verbaasd over deze bijzondere plek.

Willie riep ons bij elkaar en we gingen in een kleine, gesloten kring zitten.

'Het belangrijkste verschil tussen zaalvoetbal en buitenvoetbal is de grootte van het veld. De zaal is kleiner, sneller en harder. Hier spelen jullie ijshockey, Rocco, hoor je dat?' legde Willie uit. 'Daar is niet zoveel tovenarij bij. IJshockey met botte schaatsen. Dan gaat het om je botten en om conditie. Leon! Iedereen speelt zowel voor als achter. Jullie spelen maar met zijn vijven en de keeper mag het doel niet uit. Daarom moeten jullie snel en direct passen. Fabi, dribbelen is niet je sterkste kant. Benut de zijkanten van de loods als dubbelpasspartner. En Max, dit geldt voor jou: de zaal is niet rechtvaardig en soms gemeen. Een wedstrijd duurt maar tien minuten. Daarin gebeurt vaak niet al te veel. Voor je de vijand in je greep hebt, is het alweer over en uit. Voor de doelen stikt het van de verdedigers. Er is geen doorkomen aan. Meestal beslist één enkel doelpunt en dat wordt bijna altijd vanuit de tweede lijn gemaakt. Daarom ben jij onze belangrijkste man, Max. Met jouw schot zijn we al bijna geplaatst. Misschien hebben we zelfs al het halve stadskampioenschap in onze zak.'

Ik werd zo rood als de neus van Bassie. Willie schoof de klep van zijn honkbalpet naar achteren. Hij krabde op zijn voorhoofd. De Wilde Bende werd zenuwachtig. De vrienden bekeken me onderzoekend. Ik voelde hun blikken en hun onrustige ademhaling streek me warm en koud door mijn gezicht.

'Maar het rumoer is verschrikkelijk, Max! Vergeleken met de zaal is het in de Duivelspot, de grootste heksenketel aller heksenketels, zo rustig en stil als op de maan.'

Dat had Willie al een keer gezegd. Bij het winterkampvuur. Maar waarom herhaalde hij het?

'Max, hoor je dat? Zelfs zonder publiek wordt elk geluidje vijfmaal zo hard als op het veld. Het knalt en dondert en galmt alsof we onder een reusachtige bronzen klok spelen. Maar tijdens het toernooi, als de ouders en vrienden van alle elftallen komen kijken, wordt het helemaal een kermis.'

Ik slikte.

'Dat is lastig. Daar kun je behoorlijk van in de war raken,' zei Willie. Hij keek de kring rond. 'En dat geldt niet alleen voor Max, maar voor jullie allemaal. Felix, bij al die herrie mag je nooit vergeten dat je durft. Anders krijg je problemen met je astma. En als jij, Deniz, van pure opwinding vergeet dat je een bril op moet, krijg je ter plekke een andere bijnaam. Dan ben je niet meer Deniz de locomotief, maar Deniz de mol!'

'Hé, pas op, Wi-ha-hillie,' zei Deniz dreigend. Maar boos werd hij niet echt. Ons gelach stak hem aan.

We trokken onze gymschoenen aan en toen begon het.

'Leer eerst de ruimte kennen!' riep Willie. Hij gooide de bal de lucht in.

En dat lieten we ons natuurlijk geen tweemaal zeggen.

Eindelijk was het zover. Eindelijk konden we voetballen en nog wel midden in de winter. We speelden alsof het opeens lente was geworden. Felix, Rocco, Jojo, Deniz, Joeri en Marlon speelden tegen Fabi, Leon, Vanessa, Marc, Raban en mij. Ons rennen werd als een rollende donder door de wanden en de zoldering teruggekaatst! Maar ik deed of ik het niet hoorde. Jojo stopte de bal. Op dat moment brak buiten de zon door de wolken. Haar stralen stroomden binnen door de ramen, helemaal boven in de loods. En ze wrongen zich door de spleten in de houten wanden naar binnen. Het leek een waterval van licht en daarin danste niet alleen het stof. Jojo danste in het zonlicht. Hij danste om Fabi heen en schoot de bal dwars door de hal naar de andere kant. Daar wachtte Rocco. Hij stopte de bal alsof het een deel van zijn schoen was. Maar...

hij was niet alleen. Ook ik stond daar en sprong vóór hem. Ik rekende op een van Rocco's fantastische dribbelpartijen en was vastbesloten me niet voor de gek te laten houden. Maar Rocco was niet alleen betoverd. Hij was een sluwe vos en bovendien Braziliaan. Heel slim schoot hij de bal met zijn linkervoet tegen de wand.

BBBAAAHHMMM!

Ik stopte mijn vingers in mijn oren.

'Krabbenklauwen en kippenkak! Max, wat doe jij nou?' hoorde ik Leon over de nagalm van de donderknal en door mijn dichtgestopte oren heen roepen.

'Raban! Felix staat vrij!' schreeuwde Marc in het doel. Het deed pijn alsof iemand met een hete naald in mijn hoofd stak.

'Deniiiiizz! Lopen!' vuurde Rocco zijn medespeler aan. En terwijl Raban naar Felix rende om hem te dekken, stuiterde de bal volgens de wet 'Invalshoek en tegelijk uitvalshoek' van de muur. En schoot ons strafschopgebied binnen. Daar dook Deniz letterlijk uit het niets op.

'Benut de zijkanten!' had Willie gezegd. 'En iedereen speelt voor en achter tegelijk!' Daar dacht ik nu aan en ook aan de woorden van Willie: 'Vergeleken met de zaal is het in de Duivelspot zo rustig en stil als op de maan!'

'Ja-ha, precies!' schreeuwde Deniz. Hij trof de bal knalhard met zijn wreef.

'SATT-TAMMMM!' ontplofte het om me heen.

'Nee!' schreeuwde Marc in het doel. Hij hield zijn twee vuisten als buffer voor zijn hoofd. Met zijn knieën in een hoek gevouwen gooide hij zich in het schot. 'Dampende dui-veldrollen!' Toen sloeg de bal tegen hem aan. BOEMMM!

'Aaaauuu!' Marc schreeuwde van de pijn. Zijn onderarmen begonnen te trillen. Ik hoorde ze duidelijk steunen en kreu-

nen. En toen vloog de in het speelveld teruggeslagen bal recht op me af.

'Kippenkak en krabbenklauwen!' schreeuwde Raban en hij balde zijn vuisten. 'Doe iets, Maxi!'

Maar ik bleef stokstijf staan.

Het BOEMMM en het AAAHH! werden door de wanden teruggekaatst en schoten en bonkten door mijn hoofd als kogels in een flipperkast. Ik had de bal met gemak kunnen stoppen. Ik zou... Ja, maar nu suisde hij in slow motion langs mijn wang. Hij stuiterde tegen de wand en vloog langs Rocco heen. Die stak bliksemsnel zijn voet op om hem te stoppen. Maar Fabi was er al.

'Max! Wat is er met jou aan de hand?' schreeuwde hij. Voor

mij leek het of een leeuw brulde. 'Wáááát issss er met jououou aan de handandand?'

Toen pikte hij Rocco de bal van zijn voet en schoot hem tegen de wand – BAFFFF! Hij spurtte zo hard weg dat zijn schoenzolen ervan rookten.

Rocco voelde alleen nog het gat in de lucht dat Fabi achterliet en dat zich nu weer vulde.

Sssspp! Fabi was snel en de hal was klein. Dus voor hij erop bedacht was, stond hij voor Joeri 'Huckleberry' Fort Knox.

Het eenmans-middenveld omsingelde hem. Er was geen andere uitweg dan een bliksemsnelle, knalharde pass dwars door de hal naar links. Daar speelde Vanessa de onverschrokkene in de voorhoede. Die stopte Fabi's bal zo gemakkelijk, alsof het een bol watten was. Doodkalm keek ze om zich heen.

'Voorzichtig! Verdedigers!' schreeuwde Marc de onbe-dwingbare in zijn doel.

Maar Vanessa schonk Deniz, die ze vastbesloten aanviel, alleen maar een glimlachje. Ze schoof de bal met de buiten-kant van haar rechtervoet naar het midden van het speel-veld. Daar was Leon de slalomkampioen, topscorer en de jongen-van-de-flitsende-voorzetten. Hij tilde de bal met de punt van zijn schoen hoog de lucht in. Hij tikte hem met zijn bovenbeen naar zijn hoofd en liet hem op zijn neus balance-ren. Hij was de vleesgeworden uitdaging. Maar dat maakte Leon niets uit. Hij wachtte alleen maar op Joeri en Deniz. Die dampten en kookten van woede. Ze namen een spreidsprong naar hem toe en pakten hem als twee zeisen in hun tang. Maar Leon wilde geen overtreding. Op het laatste ogenblik sprong hij hoog de lucht in, liet de bal over zijn achterhoofd rollen en schopte hem met zijn hiel terug.

'Máááxieieie!' riep hij en weer brulde de leeuw. 'Dááár iss je báálll!' siste Fabi als een sabeltijger.

En Vanessa's stem klonk als het gebrul van een volgroeide dinosaurus. 'Kom óóóp! Mááááák dieie goalll!'

En dat wilde ik ook. Ik rende naar de bal, maar de lucht om me heen bestond opeens uit vloeibare honing. Overal hield die honing me vast. Het lawaai klonk zo hard en zo ver-vormd, alsof ik in een oude zinken badkuip onder water was gedoken. Mijn stappen dreunden zo hard op de oude plan-ken vloer, dat het leek of iemand met een hamer tegen mijn hoofd sloeg. Ik kreeg de bal aangereikt als op een dienblaad-je. Ik hoefde hem alleen nog maar te schieten. Maar elke keer als de bal de grond raakte, wilde ik m'n oren bedekken omdat het zoveel lawaai maakte. Mijn eigen adem maakte me ang-stig. Mijn hartslag ruiste als een waterval tussen mijn slapen. Mijn rechtervoet haalde uit: 15 meter. Zo ver was ik van het doel af. Marlon, die bij de anderen tussen de doelpalen stond, had geen schijn van kans.

'MAAAAXXXXXIEIEIE!' brulden ze allemaal om me heen.

Maar ik was bang. Ik wilde wel, maar kon het niet. Om me heen was er te veel geluid. De knal van mijn eigen schot zou ik niet hebben kunnen verdragen. Mijn rechterbeen leek wel van brooddeeg. In plaats van te schieten, struikelde ik over de bal.

Ik, Max 'Punter' van Maurik, de man met ooit het hardste schot ter wereld, viel languit op de harde houten vloer. Het verbaasde gefluister van de anderen veranderde in teleurgestelde geluiden. En toen die weggeëbd waren, werd het eindelijk helemaal stil.

Ik keek om me heen, maar zag niets door de tranen in mijn ogen. Ik was even blind als Raban en Deniz. De anderen liepen als wazige schaduwen om me heen. Wat zouden ze

doen? Ze mompelden, sisten, fluisterden, maar ik kon niets meer verstaan. Ik was bang. Ik dacht aan gnomen, trollen, spoken, vampiers – en kromp ineen toen iemand zich over me heen boog.

'Hé, Max, wat is er?' vroeg Marlon. Ik veegde de tranen van mijn gezicht.

'Wil je niet met ons praten?' vroeg hij ernstig en bezorgd. 'We hebben je nodig, weet je.'

Maar ik schudde mijn hoofd.

'Wat is er?' vroeg Marlon opnieuw.

Ik keek hem aan en beet op mijn lip. Ik had zo graag iets gezegd. Marlon was een echte vriend van me. Het waren allemaal vrienden van me.

'Max, wat is er?' vroeg Marlon voor de derde keer.

De plooitjes om zijn ogen lachten tegen me. Ze gaven me moed. Toen vermande ik me.

'Ik kan niet praten,' zei ik eindelijk. De tranen sprongen in mijn ogen. 'Ik kan het niet. Ik kan helemaal niet meer praten. Merk je dat niet? Valt dat niet op?'

Maar ook deze keer bewoog ik alleen maar mijn lippen. Behalve lucht kwam er helemaal niets uit mijn mond.

De anderen keken me hevig geschrokken aan. Wat was dit nu? Wat was er met me aan de hand? Ik hoorde hun gedachten in mijn hoofd. 'Max is doorgedraaid. Hij is gek, kierewiet, niet goed bij zijn hoofd. Er moet iets gebeuren! Er moet zeker iets gebeuren.'

En dat was net wat ik niet wilde. Nee! Ik was niet gek. Voor ik nog meer moest aanhoren, sprong ik op. Zonder me om te kleden, op gympen en in kleren die kletsnat waren van het zweet, rende ik de loods uit. Ik stormde door de knarsende, kreunende schuifdeuren, strompelde over de spookbrug en vluchtte het wilde bos in.

Gered

In het bos was het donker en koud. Nevelslierten hingen tussen de bomen en omdat het sneeuwde, kon ik nauwelijks iets zien. Ik zocht de plek waar onze fietsen stonden. Dat was maar een paar honderd meter van de spookbrug vandaan. Dat wist ik, ondanks de blinddoek voor mijn ogen. Maar ik vond de plek niet. In plaats daarvan was ik binnen vijf minuten verdwaald. Ook de loods vond ik niet meer terug. Het leek of hij voor eeuwig door de bosgrond was ingeslikt. Wat moest ik doen? Mijn schoenen waren kletsnat. Door het zweet bevroren mijn sweatshirt en mijn trainingsbroek. Mijn haar stond in stijve stekeltjes op mijn hoofd. Ik had het liefst om hulp geschreeuwd. Maar praten of schreeuwen – dat weet je intussen – kon ik niet.

Daarom begon ik te rennen. En ik rende hard door. Ik rende om niet te bevriezen. Ik rende tot ik dacht dat mijn longen zouden scheuren. Ik kon niet meer. Ik bleef gewoon staan. Ik deed mijn ogen dicht en viel in de sneeuw.

Om me heen was het stil, op het murmelende geluid van de stromende rivier na. Alleen mijn hart ging als een razende tekeer.

De rivier! Met moeite stond ik weer op. Ik veegde de sneeuw uit mijn ogen en liep verder door de mist. De rivier werd luider en toen stond ik opeens bij de doorwaadbare plaats. Wat was ik blij! Ik waadde door het water dat ijzig koud was. Aan de overkant begon de wereld die ik kende! Ik was gered! Met vernieuwde energie begon ik weer te rennen. Het leek of er helemaal niets was gebeurd, alsof ik net uit mijn bed was gekomen. Ik rende helemaal naar de Eikenlaan. Daar drukte ik op de bel. Ik was kletsnat en zat onder de modder. Pas op dat moment schoot het als een bliksemflits door me heen: huisarrest! Voetbalverbod! De tak van de appelboom waarmee ik op school langs het hek en de radiatoren had gerateld! Meneer Hoogmoed.

Papbenen – kromme tenen! Ik trilde als een antiloop op de noordpool. Ik wilde weglopen, maar bleef toch als verlamd staan. De deur ging al open. Het licht van de lamp in de hal viel als een schijnwerper op me. In die glanzende bundel verschenen twee gestaltes. Mijn vader en meneer Hoogmoed. Hun blik was ijskoud. Kouder dan in het wilde bos en het water van de rivier. Maar ze zeiden geen woord.

Weggestuurd

Mijn moeder daarentegen praatte veel. Ze praatte zonder ophouden: 'Wat heb je nou toch gedaan? O, lieve help, Max! Wat is er met je aan de hand? Wat zie je eruit, jongen. Verschrikkelijk! Heeft dit iets met je vrienden te maken? Max, zeg toch iets!' Maar dat ging niet. Hoewel ze de juiste vragen stelde, kon ik geen woord, geen geluidje, uitbrengen. Ik sloeg mijn armen om haar hals en gaf haar een dikke zoen op haar wang. Ze zorgde geweldig voor me. Ze stopte me meteen in bad en zette thee voor me. Ze nam drie keer mijn temperatuur op en telde vijf keer mijn polsslag. Pas toen ze er echt zeker van was dat er niets met me aan de hand was, pas toen ik heel rustig was en ik niet meer bibberde van de kou, liet ze me gaan. In mijn badjas en met een kruik onder mijn arm stuurde ze me weer naar beneden. De trap naar de hal was steil. Zo steil dat ik er duizelig van werd. De gang naar de werkkamer strekte zich voor me uit als een eindeloze tunnel. Dat hoopte en wenste ik in elk geval. Maar de tunnel was niet méér dan een gang van hooguit een meter of vijf lengte. Na die vijf meter kwam een deur.

Ik klopte zo zachtjes en bedeesd aan dat ik het zelf nauwelijks kon horen. Maar het was hard genoeg.

'Binnen,' zei mijn vader. Het klonk als een doodvonnis.

Ik gehoorzaamde meteen. Ik keek naar mijn voeten en had het gevoel dat mijn ogen zich eraan wilden vastklampen. Zo ging ik voor het bureau staan. Aan de andere kant troonde mijn vader in zijn grote zetel. Hij had de knoestige tak van de appelboom in zijn hand. Hij keek me aan. Ik kon het bijna niet verdragen. Toen verbrak hij het zwijgen. 'Meneer Hoogmoed heeft me alles verteld,' zei hij. 'Je snapt dat ik diep teleurgesteld in je ben.'

Ik keek uit mijn ooghoeken naar rechts. Daar stond Hoogmoed voor het raam naar buiten te turen. Hij deed alsof hij van alles kon zien in het donker. Hij stond een beetje te wippen op de bal van zijn voeten. Toen draaide hij zich naar mij om. 'Ik weet het niet meer, Max. Ik weet het echt niet meer!' verkondigde hij en hij sloeg zijn armen over elkaar.

'En ons geduld is op,' voegde mijn vader eraan toe. 'He-le-maal op. Ik heb genoeg geduld met je gehad.'

Een ijskoude windvlaag waaide door de kamer. Ik drukte de kruik tegen mijn buik.

'Herinner je je de twee ramen in de kamer? Het ene heb je met een voetbal en het andere met de wereldbol aan scherven geschoten,' zei mijn vader. 'Je wilde daarmee de winter verdrijven.'

Meneer Hoogmoed schudde met een zucht zijn hoofd. Hij begreep er niets van. Maar het had toen wel gewerkt. De dag erna was het zomer geworden. Hadden ze dat dan helemaal niet doorgehad?

'Toen ben je er, ondanks mijn voetbalverbod en het huisarrest, vandoor gegaan. Je vrienden hebben je daarbij gehol-
pen. Ze hebben je zusje cheerleader gemaakt, waardoor ze
mij op mijn zenuwen werkte. Jullie zijn bij mij op de bank
verschenen. Onder een valse naam doken jullie daar op. En
jullie hebben me afgeperst.'

Meneer Hoogmoed begon nu aan zijn haar te trekken. Hij
wilde er zeker nog radelozer uitzien. Van woede stampte ik
met mijn voet op de vloer. Mijn leraar wist toch helemaal
niet waar het toen om ging? Ik had twee weken huisarrest
gekregen en dat in de vakantie! Dat was net zoiets als levens-
lang krijgen. En we hadden mijn vader niet afgeperst. We
hadden shirts nodig om tegen Ajax te spelen, maar geen geld

om ze te kopen. Daarom hadden we een krediet nodig en om dat te krijgen hadden we mijn vader een aanbod gedaan dat hij niet kon weigeren. Knetterende kanonnen! En we hadden onze schulden afgelost!

Ik stampte nog een keer. Waarom kon ik ook niet praten?

'Toen kwam de slag om het boomhuis,' ging mijn vader verder. 'Midden in de nacht hebben jullie tegen de schurken en boeven uit de graffiti-torens gevochten. Dat was bijna misdadig. En toen zijn jullie op oudejaarsavond allemaal naar het oude stadion gegaan. Tot ver na middernacht hebben jullie daar rondgehangen, alleen maar om dat zogenaamde voetbalorakel te zien.'

'Voetbalorakel? Hou toch óp, zeg!' grinnikte meneer Hoogmoed. Hij wist het altijd beter, zoals alleen een volwassene én meester dat van zichzelf kunnen denken.

Ik had hem het liefst een klap tegen zijn kaak gegeven. Maar dat, wist ik, zou mijn situatie niet verbeteren.

'En nu weiger je je huiswerk te maken. Je stoort het onderwijs op de hele school. Je negeert het huisarrest en het voetbalverbod. Je spijbelt de hele dag en trekt alleen nog maar op met dit straatelftal. Je bent zo bezeten van voetbal, dat je zelfs in hartje winter in voetbalkleren over straat rent. Je hebt het vreselijk druk met alles en je vriest daarbij bijna dood. En wat iemand ook doet of zegt: jij kijkt iemand nooit recht aan en je zegt niet één woord!'

Ik keek naar mijn voeten. Dat moest ik wel, want de vloer begon te golven. Ik werd duizelig. De lentewind waaide als een storm door me heen. Ik werd zo licht als een vogel.

'Doe iets! Doe toch iets!' fluisterde een stem in mijn binnenste, maar ik had het moment al voorbij laten gaan.

Ik had het gevoel dat ik in een verroest harnas zat. En dat trok me terug op de vloer. Het harnas verschrompelde, pakte me beet met ijzeren hand en probeerde me te laten stikken.

'Jammer. Blijkbaar kunnen we niets voor je doen!' besloot mijn vader. 'Daarom heb ik geen keus. Je gaat zo spoedig mogelijk naar een internaat.'

Ik kromp ineen. De kruik zakte onder mijn pyjama vandaan. Ik hapte naar lucht. Maar het leek of er om me heen geen lucht meer was. Ik keek mijn vader smekend en bedelend aan, maar ik was zo zenuwachtig dat mijn ogen vreselijk knipperden.

'Over vijf dagen. Aanstaande maandag begin je daar. Tot dan blijf je thuis. Thuis en in je kamer. Begrepen?'

Ik slikte heel moeilijk en mijn vader hield dat voor een instemming.

'Oké! Dan zijn we het eens. Welterusten!' zei hij en hij gooide de knoestige tak van de appelboom in de prullenmand. Er stak nog een stuk bovenuit. In rode vilstift stond er: 'Schrikken is kicken!' Dat had ik pas vanmorgen geschreven.

Waarom begrijpt niemand dat? dacht ik.

'Wil je misschien iets zeggen?' vroeg mijn vader. Hij boog zich over tafel naar mij toe.

Hoop schitterde in zijn ogen.

Maar ik kon het niet. Alles wat ik te zeggen had, stond op de tak: PAPBENEN – KROMME TENEN, MAAR SCHRIKKEN IS KICKEN!

Mijn vader wachtte nog een paar seconden. Toen werden zijn ogen weer grijs en ijskoud en ik rende de kamer uit.

Een paar minuten later lag ik in bed. Buiten reed een auto voorbij. De schaduw van het raam gleed in het licht van de koplampen over de muur. De wind schraapte over de sneeuw op het dak. Nadat meneer Hoogmoed was vertrokken, was mijn vader weer aan het werk gegaan. Ik hoorde het tikken op het toetsenbord door de muren heen. En ik hoorde de voetstappen van mijn moeder voor mijn kamerdeur. Ze wilde wel, maar ze kon niets doen. Mijn vader had de beslissing genomen. Vanaf aanstaande maandag zat ik op kostschool. Hij stopte me in een gevangenis. Een gevangenis van grauwe, troosteloze stenen, misschien zelfs met tralies voor de ramen. En natuurlijk glasscherven en prikkeldraad op de muren rond de donkere tuin. In de gangen hingen allerlei bordjes aan de muur met 'verboden te...' Ik zag het in gedachten voor me: 'Wilde Bende verboden!' of: 'Alles is cool, zolang je maar braaf bent!' Maar op het ergste bordje stond: 'Geef eindelijk op!'

'Ik zei het toch,' klonk het droog uit het bed van mijn zusje. 'Je rent je ondergang tegemoet! Weet je nog?'

Ik balde mijn vuisten. Nog één woord, dacht ik, maar na een ogenblik stilte liet mijn zusje zich van een andere kant zien.

'Ik vind het echt rot voor je,' zei ze. 'En ik hoop dat je vrienden iets verzinnen om je uit deze hel te halen. Je hebt ze toch nog, je vrienden, hè? Max! Wat is er?'

Ik lag doodstil op mijn rug. De tranen rolden over mijn wangen. Nee, ik had mijn vrienden niet meer. Om zich te plaatsen voor het Stadskampioenschap Zaalvoetbal hadden ze de man nodig met het hardste schot ter wereld. Maar mijn benen waren papbenen geworden. Ik was nutteloos voor hen. En ik had de eed gebroken, wat nog veel erger was. De echte en heilige Wilde Bende-eed. Kun je je die nog herinneren?

'Jullie zweren,' had Leon gezegd, zachtjes, maar met vaste stem. 'Jullie zweren dat jullie deze plek nooit zullen verraden. Dat jullie er nooit alleen naar op zoek gaan. En dat jullie hem direct na het kampioenschap zaalvoetbal weer vergeten.'

Dat hadden we allemaal gezworen. Ook ik. Al hadden alleen mijn lippen bewogen. Een eed leg je niet af met je mond, maar met je hart. Maar waar was mijn hart toen ik weggerend was? Zonder toestemming en zonder blinddoek? Nee, toen ik de weg naar de doorwaadbare plaats vond, had ik me niet alleen maar in veiligheid gebracht. Ik had het grootste geheim van Leon en Fabi verraden: hun geheime ontmoetingsplaats, de geheime loods. En dus: wat zou de Wilde Bende nog voor me doen? Voor een verrader die het hardste schot ter wereld niet meer had, en nu over de bal struikelde? Ik durf er met je om te wedden dat mijn vrienden dezelfde wens hadden als mijn vader. Ze wilden me nooit meer zien! Nooit meer. En een internaat met prikkeldraad en glasscherven op de muren was voor zo'n wens de beste uitkomst.

De Wilde Bende

De volgende dag viel de training uit. Natuurlijk wist ik dat niet. Ik lag op mijn bed en staarde naar het plafond. Ik had watjes in mijn oren gepropt. En voor de eerste keer in mijn tienjarige leven genoot ik van de stilte. Geen gefluister. Geen gesis. Geen geschraap van de wind over de sneeuw op het dak. Ik was helemaal alleen. De wereld om me heen bestond niet meer. Mijn moeder stak haar hoofd om de deur van mijn kamer. 'Kom je eten, Max?' vroeg ze. Ik draaide me met mijn gezicht naar de muur.

De training van de Wilde Bende viel uit. Marlon had daarom gevraagd en het verzoek was ingewilligd. Zelfs Willie, de beste trainer van de wereld, luisterde naar hem. De een na de ander kwam bij Camelot aan en klom naar de eerste verdieping van ons boomhuis. Daar zocht elke nieuwkomer een plekje tussen de anderen. Die zaten daar al in een kring om het aambeeld.

Het aambeeld, het oude houten vat, werd altijd naar het midden gerold als de nood aan de man was. En die was er nu! Dat wisten ze allemaal. Ze hadden het van meneer Hoogmoed gehoord. Zonder Max 'Punter' van Maurik was een plaatsing voor het kampioenschap zaalvoetbal onmogelijk. Zonder de man met het hardste schot ter wereld hoefden ze niet meer te trainen. Zonder Max won de winter zijn ijzige heerschappij terug.

'En als we dan allemáál op onze kamer naar het plafond gaan liggen staren, belanden we vroeg of laat ook allemaal op kostschool,' zei Marlon. Hij sloeg de spijker op zijn kop.

Niet één van hen zou een tijd zonder voetballen weten door te komen. Ze zouden allemaal gek worden. Zoals in april van het jaar daarvoor. Als het tenminste niet nóg erger werd.

'Dan zetten we de hele kostschool op zijn kop!' lachte Raban de held. 'Dan wordt het een coole school in plaats van een kostschool!'

Maar zijn lachen bevroor in de kou om hen heen. Een kostschool was zelfs voor de Wilde Bende te machtig.

'Dan waren we in elk geval weer bij elkaar,' mompelde Raban.

'Dat is waar,' zei Marlon. 'Maar daarvoor hoeven we toch niet naar een internaat? Ik geloof dat niemand van ons daarheen hoeft. Ook Max niet.'

Nu was het stil.

De leden van de Wilde Voetbalbende schoven nerveus met hun voeten. Ze keken naar hun aanvoerders, Leon en Fabi. Wat zeiden die?

'Max heeft zijn eed gebroken!' bromde Leon.

'Ja, hij heeft de loods verraden,' siste Fabi. Hij sloeg met zijn vuist tegen het vat. 'De geheime ontmoetingsplaats van Leon en mij.'

'En hij is het hardste schot ter wereld kwijt!' voegde Leon eraan toe. Daarmee beitelde hij zijn oordeel in steen.

'Klopt!' knikte Marlon. 'Maar dat is nog niet alles. Max heeft nog iets anders verloren.'

'Alle gillende krokodillen!' riep Raban geschrokken. 'Wat dan?'

'Zijn stem,' zei Marlon schor. Hij keek zijn vrienden een

voor een aan. Ze hingen allemaal aan zijn lippen. 'Max heeft zijn stem verloren. En niemand heeft het gemerkt.'

Marlon veegde de tranen van zijn wangen.

'Kreukelkruid en kattenkrabbels!' vloekte hij. Dat kwam hooguit twee keer per jaar voor. 'Kreukelkruid en kattenkrabbels! Dat was voor hem minstens net zo erg als zijn verraad voor ons. Snappen jullie dat niet? Wat zouden jullie doen als jullie zoiets zou overkomen?'

'Santa Panter in de roofdierenhemel!' schold Rocco. 'En ik gaf hem nog wel de schuld van alles.' Hij gaf zichzelf een mep om zijn oren: PATS! De knal bleef in de stilte tussen de houten wanden hangen.

De Wilde Bende keek naar Willie. Die trok zijn pet van zijn hoofd en kneep hem tussen zijn vingers samen. 'Verdorie! We moeten iets doen!' dacht hij hardop.

'Maar wat, Will-ha-hili!' vroeg Deniz. De beste trainer ter wereld wist zich voor het eerst geen raad.

De stilte die nu door Camelot trok, kwam regelrecht uit mijn kamer in de Eikenlaan. Hij was zo ijzig en zwaar als drie ton staal. Leon keek naar Fabi, de wildste van ons allemaal. Maar nu beet hij zijn nagels af tot aan de halvemaantjes.

'Papbenen – kromme tenen, maar schrikken is kicken!' fluisterde Leon. 'Dat stond met rode viltstift op die tak waar Max mee liep.'

'Precies,' zei Leon. 'Papbenen – kromme tenen, maar schrikken is kicken!' Nu riep hij het met een stralend gezicht. 'Krabbenklauw en kippenkak! Ik snap het! Hij heeft het zelf gezegd: papbenen – kromme tenen, maar schrikken is kicken! Omdat hij niet kan praten heeft hij papbenen gekregen. Maar een grote schrik geeft zo'n kick dat hij zijn benen en zijn stem terugkrijgt.'

'Kreukelkruid en kattenkrabbels!' vloekte Marlon al voor de derde keer. Hij zette daarmee de hele boel op zijn kop. 'Ben je echt mijn broertje?'

'Nee,' grijnsde Leon. 'Dat ben ik alleen maar als jij me kunt vertellen hoe we Max aan het schrikken krijgen, slimbo.'

'Heel gemakkelijk,' lachte Marlon. 'Met angst, Leon! We houden een griezelnacht!'

'Sidderende kikkerdril!' siste Fabi enthousiast.

'Dan gaat hij gillen, schreeuwen en krijsen. Daar kun je gif op innemen!' Marlon was niet meer te stuiten. 'Luister goed, allemaal. We hebben rotjes, gillende keukenmeiden en vuurpijlen nodig. Alles wat jullie in voorraad hebben. Alles! En we moeten ook gettoblasters hebben. Met genoeg batterijen.

Lange jassen, pruiken en monstermaskers van het carnaval. Leon, jij brengt onze mobieltjes mee. En Jojo, vraag of je de megafoons uit het opvanghuis mag lenen. Die dingen worden toch ook altijd gebruikt als jullie sportdag houden? Marc, Vanessa, Raban, Joeri, Josje en Deniz: jullie maken stelten voor jezelf, zo hoog als maar kan. En de anderen helpen Willie onze lichtinstallatie af te breken.'

Er werd gemompeld, gefluisterd. De verlichting in de Duivelspot was heilig. Maar Marlon wist precies wat hij wilde.

'De verlichting moet van de Duivelspot naar het wilde bos. Willie, lukt dat met de stroom? Weet je, het moet een gruwelijke griezeltocht worden.'

'Kippenklauw en krabbenkak!' riep Joeri.

'Ik geloof... ja, ik geloof dat dat wel lukt,' zei Willie met een lachje. Maar toen werd hij weer heel ernstig. 'Ik denk dat griezelen alleen al genoeg is. Het moet geen *gruwelijke* griezeltocht worden.'

'Alle brakende beren!' Dat was Raban.

'Max heeft het namelijk zelf al geprobeerd,' ging Willie verder. 'Weten jullie nog? De tak. Daarmee ratelde hij op school. Het spijbelen en zijn vlucht uit de geheime loods het wilde bos in! Max wilde zichzelf daarmee bang maken, snappen jullie? Maar hij werd niet bang genoeg. Bovendien was hij bijna bevroren.'

'Alle brakende beren!' liet Raban zich opnieuw horen.

'Maar hoe krijgen we hem dan écht goed bang?' vroeg Jojo. 'We kunnen hem toch niet vierendelen?'

'Nee, Jojo. Dat kunnen we niet,' zei Marlon droog. Iedereen lachte. 'Ik weet iets anders,' ging Marlon verder.

'W-wat is dat d-d-dan?' stotterde Felix.

'Verraad!' Leon fluisterde het bijna. 'Max moet geloven dat wij hem hebben verraden!'

'Sidderende kikkerdril!' zei Marc.

'Maar dat gaat wel wat kosten,' waarschuwde Marlon. 'Leon en Fabi! Zijn jullie bereid jullie geheime ontmoetingsplaats voor altijd op te offeren?'

'W-wat zeg je?' vroeg Fabi met grote ogen van de schrik. 'Opofferen, aan wie?'

'Aan het grootste en verschrikkelijkste monster in onze wereld!' antwoordde Marlon.

'Dikke Michiel,' fluisterde Josje. Hij wilde en kon het gewoon niet begrijpen.

De draak ontwaakt

Een half uur later waren Leon en Fabi al onderweg. Ze reden het donkere woud in en onder de oude, vervallen poort door. Ze staken het brandnetelveld over en kwamen op de troosteloze steppe. Daar vochten ze tegen de ijzige wind. Even later drongen ze de graffiti-torens binnen om de slapende draak te wekken.

Toen het donker werd ontmoetten ze Dikke Michiel, de walgelijkste, gemeenste en gevaarlijkste jongen in onze wereld. Hij was Darth Vader en Sauron in één persoon. En met de kracht van een zwart gat in het heelal trok hij het kwaad aan.

Een heel stel miskleunen fladderde om hem heen. Dat waren de Onoverwinnelijke Winnaars: het Varkensoog, de Stoomwals, de Inktvis, de Maaimachine, de Zeis en de monumentale Chinees Kong.

Papbenen – kromme tenen!

Leon en Fabi verzamelden hun laatste restjes moed. Dit was het wildste plan dat de Wilde Bende ooit bedacht had. Voor het eerst sloten ze een verbond met het kwaad. Met het kwaadste van alle kwaad. En niemand van de Wilde Bende wist wat daarna zou gaan gebeuren. Schrikken is kicken! En shit, ik was het lokaas.

Daarom ook was Vanessa op hetzelfde moment bij mijn kleine zusje. In de deftige Eikenlaan 1 stond de onverschrokken Vanessa opeens voor Julia. Julia bekeek haar achterdochtig. Wie was dit? Ze vond Vanessa gek en gevaarlijk. En het plan dat Vanessa nu aan Julia vertelde, was net zo gek en gevaarlijk. Mijn zusje werd bleek. Zoiets bestond in haar barbiepoppenwereld niet. Bovendien zou mijn vader het nooit goedvinden.

'Nee. Dat doet Max nóóit. Echt niet!' Julia schudde resoluut haar hoofd.

'Ik weet het,' grijnsde Vanessa. 'Daarom werkt ons plan ook.'

Mijn zusje kon geen woord meer uitbrengen. En dat was voor het eerst. Ze bleef haar hoofd schudden. Maar Vanessa schonk er geen aandacht aan.

Het ging erom een verrader te straffen. Voor Julia was dat hard. Vooral omdat die verrader haar broer was.

'Oké, wat je wilt,' zei Vanessa met een diepe zucht.

Ze boog zich over mijn zusje heen en blies ijsbloemen op haar gezicht.

'Jij mag kiezen, schattepoppie! Of je doet zondag wat ik zeg. Of ik zorg ervoor dat je weer vergeet wat je gehoord hebt. Wil je dat?' En met die vriendelijke vraag drukte ze Julia een briefje in haar hand.

De zwarte punt

Op donderdag volgden vrijdag, zaterdag en zondag. En al die dagen lag ik stilletjes op mijn bed. Ik staarde naar het plafond. 's Avonds gleed de schaduw van het raam over de muur in het licht van de autolampen. Die lampen belichtten ook steeds weer de strijd in mijn gedachten. In mijn hoofd klonk het: 'Maandag, ja, morgen al, ga je naar het internaat. Daar kun je de Wilde Voetbalbende vergeten! In elk geval zul jij, Max, de stomkop met de papbenen, nooit meer lid van de Wilde Bende zijn!'

'Daar kun je gif op innemen!' lachten de stemmen in mijn hoofd.

'Maar dat wil ik niet!' verzette ik me. 'Zonder de Wilde Bende kan ik niet leven!'

'Dat méén je niet! Herken je ons, of niet? Je moet heel goed luisteren!' riepen de stemmen spottend. 'Wie zijn wij dan, hè? Sidderende kikkerdril en hottentottennachtmerrienacht! Heb je het nu eindelijk door? Of moeten we nog even doorgaan, Max, stomkop met de papbenen?'

'Nee! Alsjeblieft niet! Hou je mond!' smeekte ik.

'Ja, natuurlijk, graag! Maar alleen als je gaat. Rot nou toch op, Max. Het liefst nog vandaag. Knoop dat goed in je oren. Want met elke minuut die je nog blijft, ga je een risico aan dat je niet kunt inschatten. Onze wraak, Max! De straf die jij verdient, omdat je ons verraden hebt!'

'Stil, alsjeblieft!' smeekte ik. 'Ik ga al. Morgenochtend ben ik weg!'

Ik zat rechtop en drukte me tegen de muur. Ik kneep mijn ogen dicht en stopte mijn vingers in mijn oren. Opeens pakte iemand me bij mijn handen. Geschrokken deed ik mijn ogen open. Ik keek in het gezicht van mijn zusje.

'Hé! Wat is er toch?' vroeg ze glimlachend. Ze trok mijn vingers uit mijn oren. 'Ik ben het maar, Julia! Het is zondag-avond. Het eten staat op tafel en ik wil graag dat je met ons mee-eet. Vanaf morgen doe je dat toch in dat internaat? Daarom wil ik dat je komt.'

'Oké, ik kom wel.' Het duurde haar blijkbaar te lang. Ze trok me aan mijn handen van mijn bed. Samen liepen we de kamer uit en de trap af.

'Mam en pap zijn blij. Echt waar! We hebben je lievelings-eten: patat met mayonaise. Je had pap moeten zien! Hoe die keek toen mam zei dat we patat aten! Hij zei dat hij dat nog nooit had gegeten. Zelfs niet toen hij zo oud was als wij! Geloof jij het? Is hij eigenlijk ooit wel zo oud geweest als wij?'

Ze lachte. Ze stak me aan. De vonkjes van mijn beroemde, geluidloze, grijnzende lach keerden heel even in mijn ogen terug. Echt waar! We liepen de trap verder af en Julia babbel-de door als een kabbelend beekje... 'En, o ja! Nog iets. Vanessa heeft me een briefje gegeven. Voor jou!' Ze gaf me een geruit blaadje uit een rekenschrift. 'Met een dikke, zwarte punt in het midden. Heeft dat iets te betekenen?'

Ik kromp ineen en werd lijkbleek. Een zwarte punt. Dat was een doodvonnis... Een doodvonnis van de Wilde Bende... Zo werden verraders gewaarschuwd voor de straf die ze kre-gen. Papbenen – kromme tenen! Ook Julia zweeg nu. Het leek of ze een ijzige wind op haar gezicht voelde. Ze begreep dat ik doodsbang was.

'Ik hoop dat je geluk hebt!' zei ze na een hele tijd zachtjes, maar haar stem klonk schor.

Ik knikte. Toen gingen we de eetkamer binnen en schoven bij onze ouders aan tafel.

Lopen, Max! Lopen!

Het eten was vreselijk. Mijn vader maakte een heleboel drukte over de patat met mayonaise. Hij deed of het kostelijk eten was. Maar hij schoof de patat met de punten van zijn vork rond op zijn bord alsof het levende wormen waren. Mijn moeder deed of ik morgen een week naar Disney World ging en mijn zusje zei geen woord. Ze deed wel haar uiterste best vooral te doen of ze helemáál niet geschrokken of bang was.

Ik verborg het briefje in mijn broekzak: misschien was het toch beter als ik morgen verdween. Opeens ketste een kiezelsteen tegen het raam.

'Tsak!'

Ik kromp ineen. Mijn zusje werd krijtwit en mijn vader spitste zijn oren.

'Tsak!' zei de tweede kiezelsteen op het raam en de derde en vierde vlogen erachteraan. 'Tsak! Tsak!'

'Theo, dat is voor Max!' riep mijn moeder verrast. 'Dat zijn zijn vrienden die afscheid van hem willen nemen! Aardig, toch?'

En of dat aardig was! Ik klemde mijn handen om de rand van de tafel, zodat niemand kon zien hoe ze trilden.

'Tsak! Tsak!' klonk het weer. Het klonk steeds luider. Het glas van de ruit kraakte. Dat was een waarschuwing! Een waarschuwing aan mij: bij de volgende kiezelsteen zal de ruit sneuvelen! Ik sprong geschrokken op. Maar mijn vader was sneller.

'Zitten, jij!' riep hij boos.

Hij rende naar het raam en trok het met een ruk open. Ik hoorde buiten allerlei lawaai, gefluit en gesuis.

Voor de veiligheid liet mijn vader zich plat op zijn buik vallen.

Toen knalde een wereldbol door het openstaande raam naar de andere kant van de kamer. PATS! RINKELDEKINK. De globe sloeg naast de glazen vitrine tegen de muur en stortte in stukken op de vloer. Er viel een briefje uit. Het was zo zwart als de nacht! Mijn moeder en mijn zusje staarden me nog steeds stomverbaasd aan. Mijn vader las wat er in feloranje letters op het briefje stond:

'LOPEN, MAX! LOPEN!'

Het was of ik een elektrische schok kreeg: 'Lopen, Max! Lopen!' Ik begreep het meteen. 'Ren voor je leven!' betekende het. Op hetzelfde moment sprong ik door het openstaande raam naar buiten.

'Stop! Je blijft hier!' bulderde mijn vader.

Ik had geen tijd om hem uit te leggen hoe het zat, al wilde ik dat wel. 'Bemoei je er niet mee,' zou ik het liefst tegen hem hebben gezegd. 'Het gaat ze alleen om mij!'

Maar dat ging natuurlijk niet! Ik had mijn stem verloren. Daarom kwam hij achter me aan. Hij dacht dat ik ervandoor wilde gaan. Hij dacht dat het een ontsnappingspoging was. Een goedkope en schandelijke actie van mijn vrienden om mij uit het internaat te houden. Maar dan vergiste hij zich. Ik

had geen vrienden meer. Ik had hen allemaal verraden en daarvoor werd ik nu zwaar gestraft. Ik, niet hij. Daarom moest hij zich er niet mee bemoeien.

'Max, blijf staan. Blijf onmiddellijk staan!' bulderde hij. Hij zat me op de hielen. Ik moest mijn vader zien kwijt te raken, voordat de wraak van mijn vrienden toesloeg. Maar dat begreep hij niet.

Reuzen aan de rivier

Ik rende de straat uit. Ik rende zo hard ik kon, maar het hielp niet. Mijn vader was sneller dan ik. Hij haalde me steeds meer in. Ik moest iets doen. Absoluut. Daarom sprong ik over hagen en hekken. Ik stormde door tuinen. Honden blaften en keften. Ze kwamen nog boven de gillende alarminstallaties uit. Ik worstelde me door een bosje van struiken en bereikte de wei aan de rivier.

Ik had mijn vader afgeschud. Uitgeput en op mijn voetbalkousen stond ik in de sneeuw bij de plek waar het winterkampvuur was geweest. Mijn kousen waren kletsnat en mijn ijskoude voeten begonnen te tintelen. Ik kon niet meer. Ik had alleen mijn spijkerbroek en een T-shirt aan. Ik had geen gevoel meer in mijn armen. Achter me hoorde ik ruisende, krakende geluiden. Ik draaide me om en keek naar het bosje van hoge struiken. Mijn vader vocht zich erdoorheen. Wankelend van vermoeidheid kwam hij op me af.

'Ha, nu heb ik je, mannetje!' hijgde hij. 'We gaan weer gezellig samen naar huis!'

Hij trok zijn mobiel uit zijn broekzak en belde mijn moeder. 'Frederiek, wil je alsjeblieft met de auto naar de brug bij de rivier komen!'

Toen pakte hij me stevig bij mijn T-shirt vast en trok me achter zich aan.

'Dat was de laatste keer dat je me zoiets flikte,' brieste mijn vader. Even was ik blij. Het is allemaal voorbij, dacht ik.

Toen hoorden we opeens een luidruchtig gestamp.

BOEMM! BOEOEMMM! Het kwam onder de brug vandaan.

Mijn vader bleef staan. Zijn ogen werden heel klein en zijn greep aan mijn T-shirt nog vaster. Onder de brug bewoog zich iets. Schaduwen kwamen onder de donkere bogen tevoorschijn. Reusachtige schaduwen. Schaduwen van reuzen. Daar waren ze!

BOEMM! BOEMM! BOEMM!

Ze kwamen recht op ons af. Op lange, slungelige benen. Met wapperende mantels en wapperend haar. Hun gezichten waren doodenge maskers en hun ogen gloeiden rood, geel en groen!

'Pap!' schreeuwde ik, maar er kwam alleen maar warme lucht tussen mijn lippen uit. 'Pap! Laat me alsjeblieft los!'

Ik trok aan mijn T-shirt en keek op naar de reuzen. Het waren er minstens vijf. Nee, zes, zeven, acht!

Ze sisten en bromden en toen hieven ze hun klauwen en trokken daarmee gaten in de hemel.

'OEOEWAAAAH!' schreeuwden ze en ik probeerde me opnieuw los te trekken uit mijn vaders greep.

'Laat me los!' schreeuwde ik zonder geluid en ik zette me schrap tegen de arm van mijn vader.

Maar die moest lachen. 'Mijn hemel. Het is toch niet waar!' riep hij spottend. 'Alweer je vrienden! Dachten ze nou heus dat ik bang zou worden van zo'n carnavalsvertoning?'

Nee. Natuurlijk niet! Maar hoe moest ik hem dat uitleggen? Het was meer dan een grap.

Plotseling vlogen vuurpijlen in onze richting. Ze scheerden fluitend over ons hoofd en sloegen naast ons in de

sneeuw. Mijn vader hield op met lachen. Hij staarde naar mijn geopende hand en het briefje dat daarin zat. Het geruite papier met de dikke, zwarte punt.

'Het kan me niet schelen wat jullie van plan zijn,' siste hij. 'Maar het zal jullie niet lukken. Dat laat ik niet toe!'

Zijn dreigement haalde niets uit en zijn greep verslapte. Ik trok me los. Ik rende weg. Op de brug boven me stopte mijn moeder met de auto. Maar ik rende in de tegenovergestelde richting, stroomafwaarts langs de rivier. Steeds verder. Ik rende en rende en mijn vader rende achter me aan.

'Theo! Max!' riep mijn moeder bezorgd. Maar mijn zusje dat naast haar stond, porde haar in haar zij. Ze wees naar de reuzen beneden die van hun stelten sprongen en hun mantels en maskers aflegden. Het waren Raban, Josje, Felix, Joeri, Deniz. En natuurlijk Vanessa. De onverschrokkene keek naar boven en lachte tegen Julia. Ze kneep een oog dicht en stak tevreden haar duimen op. Toen zette ze de gettoblaster uit die om haar hals hing en het stampen van de reuzen verstomde.

'Oefff!' zuchtte Julia. 'Nu weet jij het ook, mam! Dit was gepland!' Ze lachte opgelucht, maar mijn moeder kon en wilde haar opluchting nog niet delen. Knetterende kanonnen! Tja, ze was tenslotte moeder! En ze had nog gelijk ook!

De val

Ik rende en rende tot bij de doorwaadbare plaats. Daar bleef ik staan. Het was alsof iemand me aan de grond had genageld. Ik keek even om. Mijn vader rende ook niet meer. Hij drukte een hand in zijn zij. Maar toch kwam hij steeds dichterbij. Nog tien, hooguit vijftien seconden. Dan was hij er. Kromme tenen! Waar moest ik heen? De doorwaadbare plaats behoorde vast tot hun duivelse plan. Die kant dus niet. Maar als ik de glooiing van de oever opliep, keerde ik in de wereld van mijn vader terug. In de wereld die nu internaat of kostschool heette. En daarheen wilde ik ook niet terug. Dat had ik tijdens de vlucht wel geleerd. Dat wilde ik nooit van mijn leven. Ik hoorde mijn vader achter me hijgen en puffen. Ik moest beslissen. Ik rende verder langs de oever van de rivier. Verder, zei ik in gedachten tegen mezelf. Misschien is het stom, maar ga door, desnoods tot aan de zee.

Na de eerste vijf stappen leek het of de hel losbrak. Recht voor me. Vuur! Alsof ik voor de vuurlinie van een heel leger stond. Ik liep een eindje naar rechts, de glooiing van de oever op. Maar daar klonken gillende keukenmeiden. Ze sisten tussen de bomen door. Draaiende, vlammende zonnen recht voor me. In hun wervelende licht stonden opeens twee jongens. Het waren Jojo en Marc.

'Het spijt me! Maar hier kun je niet door,' zei Marc de onbedwingbare met zo'n ijskoude rotstem dat mijn ruggengraat bevroor.

Ik keek om naar mijn eerste vluchtweg, stroomafwaarts langs de rivier. Ook daar brandden en draaiden zonnen. En mocht ik er al heen willen, dan versperden Fabi en Leon mij de weg.

Stroomopwaarts langs de oever stond mijn vader. Zijn mond hing open van verbazing, maar ook hij zou me tegenhouden. Daarom bleef er maar één weg over: de wonderlijke doorwaadbare plaats. Daar kon ik de rivier oversteken, maar die weg leidde natuurlijk regelrecht naar de val. Papbenen – kromme tenen, maar schrikken is kicken! Naar de verboden zone, naar het land van het verraad. Daarheen, waar de geheime ontmoetingsplaats was.

Ik rende naar de doorwaadbare plaats. Het water was ijskoud. Mijn voeten schreeuwden van pijn. Was dat een waarschuwing? Geschrokken keek ik nog een keer om. Maar wat ik toen zag, gaf me moed. Ja, ik voelde me echt gelukkig. Mijn vader kwam achter me aan. Godzijdank deed hij dat! Ik was niet alleen. Mij kon niets meer gebeuren. Dat geloofde ik echt even. Maar aan de overkant van de rivier zette Leon een megafoon aan zijn mond.

'Willie? Rocco? Marlon? Nu!'

Het wilde bos

Twee hartslagen lang leek het wilde bos mijn redding. De heuvels met de hoge bomen erop beloofden me bescherming. De kniehoge sneeuwdeken leek bijna warm en hartelijk. En het was zo oneindig stil. Zelfs mijn vader scheen zijn boosheid te vergeten en bleef naast me staan.

Toen hoorde ik zachtjes zoemen. De lucht vulde zich met geritsel en gekraak. Ik luisterde met gespitste oren. Een glimlach verscheen op mijn gezicht. Die geluiden kende ik maar al te goed. Ze hoorden bij de Duivelspot, de grootste heksenketel aller heksenketels. Het was de lichtinstallatie van Willie. Op dat ogenblik sprongen de schijnwerpers aan. Maar vijf meter bij ons vandaan en op ooghoogte schoten ze hun licht op ons af. Vijf seconden lang schenen ze heel fel. Toen doofden ze weer en wij waren verblind.

Papbenen – kromme tenen! Die truc kende ik al. We hadden hem in de slag om Camelot tegen de Onoverwinnelijke Winnaars gebruikt. Het had perfect gewerkt.

Om ons heen was het zwart. Ja, om óns heen. Want ook mijn vader kon nu niets meer zien.

'Lopen, Max! Lopen!' riep Marlon.

Hij stond op de heuvel rechts boven ons. Voor zijn mond hield hij de megafoon.

Rocco stond op de heuvel links van ons. 'Santa Panter, anders pakken we je!' riep de Braziliaan. Leons megafoonstem klonk achter ons op uit het water. 'Haal het niet in je hoofd ons nog een keer te verraden, Max!'

Nu begreep mijn vader het ook. Dit was geen poging om me tegen hem en het internaat te beschermen. Dit was bloedige ernst. Daarom greep hij mijn hand en hield hem stevig vast. Maar niet om me bij zich te houden. Hij hield hem vast om me te beschermen.

'Lopen, Max! Lopen!' schreeuwde Marlon nog een keer. Toen renden we samen weg.

Dat wil zeggen, we vielen, rolden en botsten voortdurend, want we zagen niets. We struikelden over boomwortels. Alles was bedekt met een dikke laag sneeuw. We verloren ons evenwicht. We rolden van heuvels af en ploften beneden diep in de sneeuw. Daarbij raakten we elkaar kwijt, maar we gaven niet op. We vonden elkaar steeds terug. En elke keer pakten we, mijn vader en ik, elkaar weer bij de hand. Steeds weer gingen de schijnwerpers even aan zodat we niet aan het donker zouden wennen.

Ten slotte doofden de schijnwerpers. Omdat onze ogen snel aan het donker wenden, schoten we steeds harder op. Onze achtervolgers bleven achter tot we ze niet meer zagen. We hadden het samen gered.

We waren aan hen ontsnapt. Daarvan waren we overtuigd. We liepen hand in hand verder door het bos.

Ik voelde me goed. Van mijn kletsnatte kleren en sokken had ik geen last meer. Maar op de volgende heuvel sloeg me de koudste kou tegemoet die ik ooit had gevoeld.

Papbenen – kromme tenen, maar schrikken is kicken! We waren helemaal niet aan hen ontsnapt. We waren regelrecht in de val gelopen! Het ergste moest nog komen. Dat zag ik nu in. Trillend en bevend van de kou staarde ik naar de andere heuvel waarop de loods stond, de geheime ontmoetingsplaats van Leon en Fabi.

Ik kon en wilde niet meer.

'Laat me met rust!' wilde ik schreeuwen. Maar ik kon nog steeds niet praten.

Hulpeloos ging ik in de sneeuw zitten. Ik zocht de blik van mijn vader. Ook hij scheen te weten wat er gebeurde. Maar hij was sterk. Voor hem was de geheime ontmoetingsplaats niet méér dan een oude loods. Een bescherming tegen de snijdende kou.

'Kom, Maxi, kom,' zei hij alleen maar. Toen tilde hij me op. Hij nam me in zijn armen. Dat was lang niet gebeurd. Hij droeg me tegen elk verbod van Leon en Fabi over de spookbrug, door de krakende poort de geheime ontmoetingsplaats binnen.

De draak slaat toe

Het was er donker en leeg. Misschien had ik me wel vergist. Misschien waren we echt ontsnapt. Of misschien was wat we doorgemaakt hadden al genoeg wraak. Ja, misschien was alles voorbij. In elk geval was ik heel erg moe. Uitgeput en bevroren van de kou keek ik naar mijn vader die de loods rondliep. Hij brak planken uit de wanden. Hij vond in een hoek nog wat oude kranten. Hij maakte er proppen van en legde ze op een oud olievat. Toen de kranten goed brandden, legde hij er een paar kleine planken in die algauw vlam vatten. Toen hing hij onze natte kleren over een paar lage krukjes bij het vuur te drogen. Ergens vond hij een paar oude dekens. Die wikkelde hij om mij en zichzelf heen. We gingen bij het vuur zitten. Hij nam me opnieuw stevig in zijn armen.

Langzaam werd ik warm. Ik staarde in het vuur. Door het geknetter en geritsel van de vlammen heen hoorde ik een stem. Die kwam eerst van heel ver, maar al vlug dichterbij. En toen verstond ik die stem heel goed.

'Ik was precies als jij,' zei mijn vader. 'Ik ben precies zo geweest. Ik heb ook nooit iets gezegd.' Ik kon het gewoon niet geloven.

Knetterende kanonnen! Dat kon toch niet waar zijn? Maar het voelde goed. Ik kreeg weer hoop! Mijn vader was precies zo geweest als ik en hij práátte gewoon. Asjemenou! Maar mijn blijdschap verdween weer. Mijn vader kon praten! Maar ik, ik bracht geen geluid meer voort. Ook nu niet. Hoewel ik het maar al te graag wilde. Meer dan welk prachtig cadeau ook. Ik wilde liever praten dan meedoen aan het Stadskampioenschap Zaalvoetbal en het WK in 2010.

'Ik wil je zo graag helpen,' zei mijn vader. 'Je moet iets tegen me zeggen. Zeg toch iets, alsjeblieft!'

Ik slikte moeilijk. Ik probeerde het een paar keer opnieuw. Maar het lukte me niet. Er sprongen alleen tranen in mijn ogen.

'Toe, Max, zeg me wat er met je aan de hand is. Ik wil toch ook niet dat je naar kostschool moet.'

Dat was mijn vaders laatste zin. Daarna hield ook hij zijn mond. We staarden in het vuur. Ieder voor zich. Hoewel ik tussen zijn knieën zat en zijn armen om me heen voelde, waren we heel ver weg van elkaar. Ten slotte sliepen we in. Ik tegen zijn borst en mijn vader leunend tegen een pilaar.

We sliepen vast, alsof we veilig thuis waren. Daarom ook was ik ervan overtuigd dat ik droomde.

Iets klonk als het ritselen van kevers. Grote, bruine, dikke kevers. Kakkerlakken misschien wel. Maar in dit geval waren het de Onoverwinnelijke Winnaars.

Ze kropen opeens uit alle naden en kieren tevoorschijn. En ze hadden zich prachtig uitgedost. De Inktvis had zijn spinnentattoo met lichtgevende verf aangedikt. Zijn hanenkam stond in spitse, pikzwarte stekels omhoog. Het Varkensoog droeg een ooglap waarop een uitgelopen soepoog was geschilderd. De Stoomwals had zijn hoofd, op een klein kuifje na, kaalgeschoren. 'Biljartbal met voortuin,' noemde hij dat. De geheimzinnige Maaimachine had een ijshockeyhelm op met Vikingvleugels. En de Zeis had zijn fietsketting

ingeruild tegen een soort prikkeldraadketting. Kong, de monumentale Chinees, leunde op een wandelstok van een stuk tramrail. En Dikke Michiel droeg zijn cirkelzaag als een geweer op zijn arm.

Zo kwamen ze dichterbij. Heel langzaam en heel zeker van zichzelf! Als een school haaien sloten ze ons in. Ik hoorde hun zware, slepende stappen. Toen was ik opeens weer klaarwakker. Knetterende kanonnen! Dit was helemaal geen droom! Dit was werkelijkheid. En mijn vader was nog in diepe rust. Ik kroop overeind en schudde aan zijn schouder. Maar hij werd niet wakker.

'Laat me alsjeblieft!' mompelde hij. De Inktvis deed hem na: 'Lááát me alsjeblíéft!' riep hij spottend. Ze stonden in een kring om ons heen. De Inktvis deed een stap naar voren.

De anderen volgden. De Zeis hield zijn prikkeldraadketting boven zijn hoofd. Hij draaide hem zo hard rond dat het suisde.

'Hé, Michiel!' fluisterde hij. Zijn stem klonk als schuurpapier. 'En wat doen we nu?'

De andere miskleunen joelden en jammerden.

De vraag van de Zeis wekte hun hersens tot leven.

'WOEOESSJJJ!' deed het. In mijn hoofd zaten mijn angsten in een achtbaan met negen loopings. Toen stak Dikke Michiel zijn armen in de lucht en spreidde ze heel langzaam. 'Sssst!' zei hij. 'Stil. Niet allemaal tegelijk. We hebben de hele nacht de tijd.'

Toen was het stil. In die stilte liet Kong zijn vingers kraken. Het klonk alsof er bomen werden geveld.

Zelfs de leden van de Wilde Bende die samen met Willie boven ons tussen de dakspanten verstopt zaten, hielden hun adem in. Geen van hen wist wat er ging gebeuren. Ze hadden de draak gewekt. Ze hadden hem uit de graffiti-torens naar zich toe gehaald en hem om hulp gevraagd. Maar daarmee hadden ze de boel nu niet meer onder controle. Nu deed de Draak precies wat hij wilde. Hij kwam met zeven koppen recht op me af.

'Hé, Michiel! Hoe zat het ook weer?' zei de Zeis met zijn kraakstem. 'Wie van de twee moet lijden en wie kijkt er toe?'

'De jongen kijkt!' fluisterde Dikke Michiel. Hij keek naar mij.

'Ratelende varkensscheten!' vloekte de Zeis. 'Ik heb nog nooit een vinger uitgestoken naar een bankdirecteur.'

'En dat zul je nooit doen ook!' schreeuwde ik tegen hem.

Ja, je hebt het goed gehoord. Ik schrééuwde. Ik stond daar, met alleen een deken om mijn lijf, en schreeuwde. 'Nooit zullen jullie dat doen! Nóóit! Begrepen?'

Toen schudde ik mijn vaders schouder en porde in zijn zij. 'Papa! Word wakker! Ik heb je nodig.'

Maar mijn vader was al lang klaarwakker.

'Grote hemel! Hoe kan dit? Maxi, zeg dat nog eens!' Hij straalde over zijn hele gezicht. Ik begreep hem niet.

'Pap, kom op nou! Ik heb je nodig! Zie je dat dan niet? Dit zijn de Onoverwinnelijke Winnaars!'

'Het is niet waar!' lachte Dikke Michiel. Hij stond pal achter me en drukte op de knop van zijn zaag. Toen klonk een snerpend geluid. Een hoog, snerpend geluid als van tienduizend tandartsboren tegelijk.

'Papa!' schreeuwde ik.

Een applaus overstemde het geluid van de zaag. Het kwam van boven. Een fractie van een seconde later klonk er gestommel tussen de dakspanten. En toen liet de hele Wilde Bende zich langs een paar touwen naar beneden glijden.

Er werd nog steeds geklapt en gefloten. Zelfs de Onoverwinnelijke Winnaars begonnen mee te klappen.

'Alle krabbenklauwen!' riep Leon. 'Marlon en Willie, jullie hadden gelijk!'

'Ja! Sidderende kikkerdril!' fluisterde Fabi. En Rocco vulde dat aan met zijn 'Santa Panter in de roofdierenhemel!'

Joeri sloeg zijn arm om Josjes smalle schouders heen en gaf hem een liefkozende tik tegen zijn wang.

'Rokende Duiveldrol!' vloekte Marc en toen vatte Jojo het samen: 'Die uitgekookte Maxi kan heus wel praten!'

'Driemaal ingevette uilenkak, dat klopt!' lachte Raban.

'Wat dacht jij dan?' riep Vanessa met pretlichtjes in haar ogen. 'Hij praat. En hoe!'

'Ja-ha!' grijnsde Deniz. 'Meer dan mijn o-ho-ma uit Turkije!'

We schoten allemaal in de lach.

Maar Dikke Michiel bleef ernstig. Met een serieus gezicht ging hij voor me staan. Een dikke spierbundel spande zich over zijn zwarte hart. Zijn laserblik verlamde me met een soort toverkracht. Een eindeloos lang ogenblik was het stil. Iedereen keek naar hem. Wat zou de Darth Vader van onze wereld doen? Was de griezelnacht nog niet voorbij? Zijn opdracht was uitgevoerd. Ik had mijn stem terug. Maar dat scheen Dikke Michiel helemaal niet te interesseren. Zijn roversziel verklaarde alle afspraken met de Wilde Bende nietig. Zijn adem reutelde als die van een potvis die in één duik om de wereld gezwommen was. Zo dadelijk zou hij me in stukken zagen. Zeker weten. Hij begon te lachen, hees en rauw. En toen brak hij bijna mijn schouders met zijn enorme handen.

'Bravo, Punter! Dat was echt wild!' Hij feliciteerde me.

Kong, de monumentale Chinees met zijn tramrails, gaf me zelfs een hand. 'Bij de heilige Kung Fu!' fluisterde hij. 'Ik was echt bang voor je.'

'Ja, je schreeuwde als een volwassen dinosaurus!' grijnsde de Zeis.

Iedereen haalde opgelucht adem. De zevenkoppige draak was weer gekalmeerd. Dikke Michiel hield woord. Of misschien durfde hij zich ook niet meer tegen ons te verzetten. Tenslotte had hij genoeg nederlagen geleden. Wie zal het zeggen. Wie weet was hij deze nacht ook voor het eerst onze vriend.

Marlon stak zijn handen in de lucht.

'Stil eens even, allemaal!' riep hij. 'Koppen dicht! We zijn nog niet klaar. De proef is nog niet voorbij!'

Het was onmiddellijk stil. In die stilte klopte maar één hart: het mijne. Marlon was zichtbaar tevreden. Hij keek me aan.

'Max, je praat weer, gelukkig. Maar je moet ons nog een tweede ding bewijzen. Weet je, je was Max "Punter" van Maurik, de man met het hardste schot ter wereld. Maar toen werd je Max-met-de-papbenen-die-niet-kon-praten. En nu willen we weten wie je echt bent.'

Ik slikte en begon nerveus met mijn voeten te schuiven. Maar Marlon grijnsde tegen me. 'Daarom gaan we nu voetballen! Eindelijk spelen we weer. En om echt zeker te weten wie Max is, spelen we tegen de Onoverwinnelijke Winnaars. Nou, waar wachten we nog op?'

Drievoudig M.S.

Twee minuten later stonden we klaar in ons 'veld'. Marlon had aan alles gedacht. Zelfs mijn zaalvoetbalschoenen stonden klaar. Ik verheugde me erop. Maar ik was ook op van de zenuwen. Kon ik het nog? Was ik werkelijk de man met het hardste schot ter wereld?

Willie floot en de wedstrijd begon. De Zeis schoof de bal naar Dikke Michiel en die passte meteen en keihard naar Kong.

'Aanvallen!' schreeuwde die zo hard dat de muren trilden. Toen rende hij weg. Kong, de monumentale Chinees, schoot de bal langs de linker buitenlijn.

Daar wilde Joeri hem de weg versperren. Maar het een-mans-middenveld kwam te laat. Kong gaf al een voorzet vanaf de zijlijn. De bal vloog over de hele breedte van de loods. De Zeis stopte hem met zijn borst. De bal viel er langs naar beneden.

'Kromme konijnenkeutels! Michiel, let op!' schreeuwde de man met het prikkeldraad om zijn hals. Voordat ik er maar aan kon denken om hem de bal af te pikken, schoot hij op doel. Hij ging richting rechter benedenhoek. Maar daar was Marc.

'Aaaah!' schreeuwde de onbedwingbare, terwijl hij de bal met zijn vuisten buiten het doel hield. Het was een actie. Hij leek Edwin van der Sar wel. Maar de bal viel Kong recht in zijn voeten.

'Machtige Kung Fu!' schreeuwde de monumentale Chinees en hij schoot.

De bal schoot nu naar de linker benedenhoek van het doel. Marc, die nog op de grond lag, sprong meteen op. Hij rekte en strekte zich. Hij werd tweemaal zo lang als hij was. Op het laatste moment stuurde hij de bal met zijn vingertoppen tegen de doelpaal. Van daaruit stuiterde het leer tussen Marlons benen door, rolde over het veld en sprong Dikke Michiel recht op zijn wreef.

'Oeoeaaah!' schreeuwde de Darth Vader. Toen schatte hij de afstand en schoot de bal als een katapult richting linker benedenhoek.

'Rokende duiveldrol!' vloekte Marc. Hij sprong weer op en dook als een dolfijn in de linker benedenhoek. Maar hij was te ver weg en de bal ging door. Dikke Michiel gooide zijn armen in de lucht en zijn lippen vormden al de overwinning! 'Góóóáll!' wilde hij schreeuwen. Toen dook Josje op uit het niets en griste de bal op het laatste moment van de doellijn.

'Marlon!' riep Leon. 'Waar wacht je nog op? Dit is onze kans. Naar voren allemaal!'

Maar Marlon was al bij de bal. Zonder aarzelen passte hij hem op de millimeter nauwkeurig in Fabi's voeten. Die nam de bal niet eerst aan, want de Zeis zat hem op zijn hielen. Fabi tikte de bal meteen door, via de zijkant naar Leon. De slalomkampioen, topscorer en de jongen-van-de-flitsende-voorzetten, nam de bal met zijn knie aan en nam hem vakkundig mee in zijn spurt. Wat hij in drie bliksemsnelle stappen kon! De Maaimachine gaf zich gewonnen, het Varkensoog sprong zinloos op en de Stoomwals werd met een panna voor schut gezet. Maar toen stond Dikke Michiel voor Leon, en Kong versperde de vluchtweg naar rechts. De Zeis stormde van links op hem af en de Inktvis verkortte de hoek naar het doel.

'Alle schele schollen!' schreeuwde Deniz over het veld. 'Leon, geef af!'

Maar het was te laat. Leon had de bal al afgegeven, aan mij. Geconcentreerd liep ik op de bal af. Toen haalde ik uit. Mijn rechtervoet strekte ik heel ver naar achteren en ik voelde dat mijn vader naar me keek.

'Papbenen – kromme tenen, maar schrikken is kicken!' schreeuwde ik zo hard als ik maar kon. Ik wilde het voelen, maar vooral horen! Pas toen schoot ik. En ik zeg je: ik trof de bal honderd procent nauwkeurig.

'BAFFF!' dreunde het door de zaal. Toen klonk een gefluit. De bal trok dat geluid als een staart achter zich aan. De Inktvis, in zijn doel, werd er bang van. Hij gooide zich van schrik plat op zijn buik. Een fractie van een seconde later schoot de bal in het net. Dat scheurde. De bal schoot vervolgens door de houten wand en sloeg buiten in het bos tegen een hoge boom. De boom kraakte en kreunde. En terwijl ik mijn armen in de lucht stak, brak de stam doormidden.

'Heb je mijn schot gezien!' riep ik. Ik vloog mijn vader om zijn hals.

'Reken maar!' zei hij met een glimlach van oor tot oor. 'Alle ijsberen op de noordpool, Max, dat was een onvervalst Drievoudig M.S.!'

'Een wát?' wilde ik weten. Ik keek hem met stralende ogen aan.

'Een Mega-Machtig-Monster-Schot!' lachte mijn vader. Ik lachte ook en gaf hem een mega-machtige-monster-knuffel!

Patat met mayo

Thuis aten we weer patat. Mijn moeder had ze vers gemaakt.
Ik rammelde van de honger. En mijn vader vond het heerlijk.
Die zat te eten, niet te geloven! Hij schepte wel vijf keer op en
verklaarde plechtig dat hij zijn hele leven nog nooit zo'n lekker vijfgangendiner had gegeten! Schrikken is kicken! We
aten allebei minstens een kilo. Intussen vertelde ik alles. Van
de eed met oudjaar en het verlies van mijn stem. Van de tak
van de oude appelboom, van de papbenen en het Stadskampioenschap Zaalvoetbal. Van de reuzen en de vuurpijlen
aan de rivier. Van de draaiende zonnen bij de doorwaadbare
plek. Ik vertelde van Dikke Michiel en zijn gillende cirkelzaag. En steeds maar weer van het Drievoudige M.S., het
Mega-Machtig-Monster-Schot.

Mijn mond stond niet stil. En ik zou nog praten als mijn
zusje Julia, de woordenwaterval, niet groen had gezien van
jaloezie. Zij vermaakte anders altijd iedereen met haar ver-
halen.

'Zo is het wel even genoeg, vind ik,' zei ze en ze had gelijk.
Ik was bekaf. Daarom ging ik naar bed. Ik douchte en poetste
mijn tanden. Ik trok mijn pyjama aan. Toen ik uit de badkamer terugkwam en mijn kamer binnenliep, zat mijn vader
op mijn bed. Daar had hij niet meer gezeten sinds ik drie was.
Maar nu was hij er. Hij dekte me toe en keek me heel lang
aan.

'Ik heb me bedacht,' verbrak hij het zwijgen. 'Je gaat morgen niet naar het internaat!'

Ik ging rechtop zitten. Dat was ik in alle opwinding bijna vergeten.

'Bedankt, pap, gaaf,' zei ik alleen maar. Ik keek mijn vader op mijn beurt lang aan.

'Vergeef me alsjeblieft dat ik je wilde wegsturen,' zei hij met een glimlach.

'Nee, het was juist goed,' zei ik.

Mijn vader slikte moeilijk.

'Meen je dat?' vroeg hij.

Ik knikte. 'Ja, het was juist goed. Anders was dit vandaag allemaal niet gebeurd.'

'Weet je dat zeker?'

'Heel zeker,' zei ik.

'Dan wil ik jou ook bedanken,' zei mijn vader. 'Ga lekker slapen, zoon van me. Welterusten.'

'Welterusten, pap,' mompelde ik. Ik kroop weer onder mijn dekbed.

Mijn vader stond op, liep naar de deur en knipte het licht uit. Hij liep al op de overloop, toen ik hem terugriep.

'Pap?' vroeg ik.

'Ja, wat is er?' Zijn stem klonk aarzelend. Hij deed het licht weer aan en kwam naar mijn bed.

'Wanneer werd je dan zoals je bent?'

'Wat bedoel je daarmee?' vroeg mijn vader op zijn beurt.

'Nou, zoals nu. Wanneer heb je leren praten? Ik bedoel, wanneer durfde je de dingen hardop te zeggen?'

Mijn vader keek me heel lang aan.

'Weet je het niet meer?' vroeg ik.

'Jawel!' zei mijn vader. Hij zweeg lange tijd en voegde er toen aan toe: 'Dat was vannacht, Maxi!'

Hij gaf me twee dikke kussen en liep opnieuw m'n kamer uit. Hoewel ik doodmoe was, bleef ik nog lang wakker. De schaduw van het raam gleed over de muur in het licht van een langsrijdende auto.

Het was hartje winter. Buiten was alles bevroren. Maar vanbinnen voelde ik dat de lente was begonnen. Er waaide een lentewind door me heen die diep uit mijn binnenste kwam.

De Wilde Voetbalbende
stelt zich voor

Leon de slalomkampioen, topscorer en
de jongen-van-de-flitsende-voorzetten
Centrumspits
Leon is de aanvoerder van de Wilde
Bende. Hij maakt doelpunten zoals
ooit Johan Cruijff deed. Of hij
geeft adembenemende voorzet-
ten. Specialiteit: omhalen. Hij is
voor niets en niemand bang en
wil altijd maar één ding: winnen. Maar zijn trouw aan de
Wilde Bende en in het bijzonder
aan zijn beste vriend Fabi is nog groter dan zijn wil om te winnen.

Fabi de snelste rechtsbuiten ter wereld
Rechtsbuiten
Hij is Leons beste vriend. Samen
vormen ze de Gouden Twee-
ling. Fabi is de doelpunten-
machine van de Wilde
Voetbalbende V.W. en
de wildste van allemaal.

Werkt zich door zijn sluwheid nooit in de nesten. Voor elk probleem bedenkt hij een oplossing. Zijn onweerstaanbare glimlach beschermt hem daarbij steeds tegen straffen of andere gevolgen. Maar in tegenstelling tot Leon interesseert Fabi zich ook voor andere dingen. Hij heeft zelfs al belangstelling voor meisjes. Niemand weet hoe lang hij nog bij de Wilde Bende blijft.

Marlon de nummer 10, de spelverdeler met inzicht
Spelverdeler

Marlon is Leons broer. Hij is een jaar ouder dan Leon. Leon heeft een hekel aan hem. Maar voor het elftal is hij het hart, de ziel en de intuïtie. Marlon speelt zo onopvallend alsof hij een jas draagt die hem onzichtbaar maakt. Maar ondertussen overziet hij alles. Het lijkt of zijn hoofd als een satelliet boven het veld cirkelt. Ook buiten het speelveld is er niemand die zijn vrienden beter aanvoelt dan hij.

Raban de held

Reserve-topscorer

Raban voetbalt als een blinde die fotograaf wil worden. Hij heeft nog niet eens een verkeerd been. Want wie een verkeerd been heeft, moet ook een goed been hebben. In onze loods voetbalt hij op zijn best. De bal raakt soms meer dan vijf keer een muur en stuitert dan toevallig in het doel. Ondanks dat is Raban een van de belangrijkste leden van het team. Ook al draagt hij een bril met jampotglazen. En ook al worden zijn vuurrode krullen vaak door drie meisjes misvormd met krulspelden. Die meisjes zijn de dochters van vriendinnen van zijn moeder. Raban noemt hen 'de drie roze monsters'. Overigens: zijn vriendschap en trouw zijn onovertroffen.

Felix de wervelwind

Linksbuiten

Felix is de perfecte linksbuiten. Hij speelt zijn tegenstanders duizelig. Maar als Felix astma heeft, is hij nergens. Dat denkt hij tenminste. Tot hij in de wedstrijd tegen Ajax zijn angst en ziekte overwint. Hij verandert de Wilde Voetbalbende in een echt voetbalteam. Een team met shirts, een prachtig logo, een reglement en echte spelerscontracten. Daardoor stijgt hij zelfs hoog in de achting van João Ribaldo, een Braziliaanse voetbalheld van Ajax.

Rocco de tovenaar
Aanvallende middenvelder

Rocco is absoluut cool. Hij tovert de bal overal heen, waar hij hem maar hebben wil. Hij is de zoon van een Braziliaanse voetbalheld van Ajax. Hoewel Rocco al bijna even goed speelt als zijn vader, wil hij zelf alleen maar spelen bij de Wilde Voetbalbende V.W. Rocco is Marlons beste vriend en hij is erg bijgelovig. Hij gelooft nog in spoken en heksen.

Jojo die met de zon danst
Linksbuiten

Jojo woont door de week in een opvanghuis voor kinderen, omdat zijn moeder geen werk heeft. Dat komt waarschijnlijk omdat ze vaak te veel drinkt. Jojo heeft niet eens voetbalschoenen. Zelfs in de winter speelt hij op kapotte sandalen. Maar hij is een goede linksbuiten voor het team. En een vriend die ze nooit zouden willen missen.

117

Marc de onbedwingbare
Keeper

Marc is het tegenovergestelde van Jojo. Hij woont in een reusachtig huis met bedienden. Zijn vader is rijk. Marc is in het doel een natuurtalent. Iedereen die tegen hem scoort, krijgt een vermelding in het *Guinness Book of Records*. Maar als Marc naar de training wil, moet hij stiekem het huis uit sluipen. Zijn vader haat voetbal en wil dat hij later profgolfer wordt.

Joeri 'Huckleberry' Fort Knox, het eenmans-middenveld
Laatste man

Joeri is zo'n goede verdediger dat zijn tegenstanders denken dat ze met víér in plaats van één persoon te maken hebben. Verder leeft hij geheimzinnig als Huckleberry Finn. In zijn achtertuin heeft hij Camelot zelf gebouwd. Camelot heeft drie verdiepingen en is de ontmoetingsplaats en boomburcht van de Voetbalbende.

Josje het geheime wapen
Allerlaatste man

Josje is Joeri's zesjarige broertje. Hij is eigenlijk nog te klein voor het team. Maar samen met Sokke, de hond, is hij vaak de troefkaart, het geheime wapen. Hij raakt de bal maar zelden. En dat is dan vooral als hij hem in de laatste milliseconde van de doellijn grist.

Vanessa de onverschrokkene
Middenvelder

Vanessa is het wildste meisje aan deze kant van het Donkere Woud. Ze loopt zelfs op school in voetbalkleren. Haar schoten op het doel zijn vooral onhoudbaar als ze haar roze pumps aanheeft. Ze wil de eerste vrouw zijn die in Oranje speelt. Na haar verhuizing van Maastricht naar Amsterdam heeft ze haar plaats bij de Wilde Voetbalbende moeten bevechten. Ze zou bij geen ander team willen spelen. Zolang de Wilde Voetbalbende bestaat, moet het nationale elftal nog op haar wachten.

Max 'Punter' van Maurik, de man met het hardste schot ter wereld

Verdedigende middenvelder

Max praat niet. Zelfs op school of aan de telefoon zegt hij geen woord. Hij práát niet, maar dóét. Hij bezit het Drievoudige M.S.: het Mega-Machtig-Monster-Schot. Voor Max is voetballen alles. Behalve als er problemen met zijn vrienden zijn. Dan offert hij zijn vrijheid op en neemt een wekenlang huisarrest en voetbalverbod op de koop toe. Dan verbreekt hij zelfs zijn zwijgen.

Deniz de locomotief
Spits, bestrijkt de hele voorhoede
Deniz is de Turk in het team. Elke dag reist hij met bus en
tram de hele stad door om te trainen bij zijn vrienden van de
Wilde Voetbalbende. Bij hen heeft hij ontdekt dat hij een bril
nodig heeft, dat hij er niet alleen voor staat en dat vrienden
belangrijker zijn dan een persoonlijke overwinning.

Willie, de beste trainer ter wereld
Trainer
Willie woont in een cara-
van achter zijn stalletje in
de Duivelspot. Hij wilde zelf
ooit profvoetballer worden. Maar door
een zware blessure aan zijn knie (de
schuld van Dikke Michiels vader)
moest hij stoppen met
voetballen. Nu traint hij de Wilde
Voetbalbende. Hij is de beste en meest bijzondere trainer ter wereld.
Daarom heeft hij voor de
Wilde Bende het sport-

veldje omgebouwd tot de Duivelspot. Het stadion van de Wilde Voetbalbende V.W. is de grootste heksenketel aller heksenketels. En de Duivelspot heeft een heuse lichtinstallatie van bouwlampen.

Joachim Masannek werd in 1960 geboren. Hij studeerde Duits en filosofie en daarna studeerde hij aan de Hogeschool voor Film en Televisie. Hij werkte als cameraman en schreef draaiboeken voor films en tv-programma's. En hij is trainer van de échte Wilde Voetbalbende, en vader van voetballers Leon en Marlon.

Jan Birck werd geboren in 1963. Hij is illustrator, striptekenaar en artdirector voor reclame, animatiefilms en cd-roms. Met zijn vrouw Mumi en hun voetballende zoons Timo en Finn woont hij afwisselend in München (Duitsland) en Florida (Verenigde Staten).

Alles is cool zolang je maar wild bent!

Lees ook de andere boeken over de Wilde Voetbalbende:

Zeven vrienden wachten op het mooie weer dat het nieuwe voetbalseizoen inluidt. Voetbal is voor hen minstens even belangrijk als leven. Maar de sneeuw is amper gesmolten, of hun voetbalveldje is al in beslag genomen door Dikke Michiel en zijn *gang*. Dat laten de vrienden natuurlijk niet zomaar gebeuren! Ze dagen Dikke Michiel uit: wie de wedstrijd wint, krijgt het veldje. Maar hoe kunnen ze ooit winnen van die griezels, die veel groter, sterker én gemener zijn...?

ISBN 90 216 1909 1

Er komt een nieuwe jongen op school: Rocco, de zoon van een Braziliaanse profvoetballer. Eerst vindt Felix hem arrogant, maar Rocco is goed én hij wil per se bij de Wilde Voetbalbende. Rocco's vader vindt het maar niks. Zijn zoon bij een ordinair straatelftal! Hij moet bij een échte club spelen.

Dat kan geregeld worden: de Wilde Bende zorgt voor officiële clubshirtjes en traint nog harder dan anders. Dan dagen ze het jeugdteam van Ajax uit voor een duel. Rocco is een van hun tegenstanders...

ISBN 90 216 1919 9

Vanessa is helemaal voetbalgek. Ze draagt altijd voetbalkleren, en ze wil de eerste vrouw in het Nederlands elftal worden. Met haar meisjes-voetbalclub gaat dat natuurlijk nóóit
lukken! Haar vader meldt haar aan bij de Wilde Bende. Maar
de jongens zijn op zijn zachtst gezegd niet zo erg blij met een
meisje in hun team. Ze spelen Vanessa nooit de bal toe,
maken zulke scherpe passes dat zij die wel moet laten gaan.
Ze vernederen haar. Vooral Leon moet niks van haar hebben.
Maar Vanessa geeft niet op: ze móét en ze zal laten zien dat ze
goed genoeg is om bij de Wilde Bende te spelen!

ISBN 90 216 1929 6

Na de vakantie wacht de Wilde Voetbalbende een grote ver-
rassing: hun veldje is omgetoverd in een echt stadion, compleet met schijnwerpers! Joeri wil niets liever dan dit grote
nieuws aan zijn vader vertellen. Alleen woont zijn vader niet
meer thuis, en Joeri weet niet waar hij nu is. Terwijl hij in de
stad naar zijn vader op zoek is, valt Joeri in handen van
Dikke Michiel en zijn *gang*, de aartsvijanden van de Wilde
Bende...

ISBN 90 216 1690 4

Deniz voetbalt in een ander elftal, maar hij zou dolgraag bij de Wilde Voetbalbende spelen en nodigt zichzelf uit voor een proeftraining. Dat hij talent heeft, is overduidelijk, maar toch wijzen Fabian en Leon hem af. De Turkse Deniz zou niet in hun elftal passen. De andere jongens zijn hier woedend over. Ze willen Deniz per se bij hun club, zelfs als dat betekent dat Fabian en Leon opstappen. Wat nu?

ISBN 90 216 1700 5

Raban voelt zich in de Wilde Voetbalbende het vijfde wiel
aan de wagen. Hij is bang dat de anderen hem niet meer bij
hun team willen hebben. Trainer Willie raadt hem aan om in
de kerstnacht het grote voetbalorakel te raadplegen. Zo
gezegd, zo gedaan: midden in de nacht sluipt Raban naar het
stadion...

ISBN 90 216 1950 4

Wauw! Tijdens het Stadskampioenschap zaalvoetbal wordt
Fabi ontdekt door een talentscout en gevraagd voor het
jeugdteam van Ajax. Fabi heeft hier altijd van gedroomd, dus
neemt hij het aanbod aan. De leden van de Wilde
Voetbalbende begrijpen Fabi niet en vinden hem een verrader. Hij wordt uit het team gezet. Uitgerekend in de finale
moet de Wilde Voetbalbende tegen Ajax spelen... Fabi mag
tijdens zijn proeftijd nog niet voor zijn nieuwe club spelen.
De Wilde Bende kan alleen maar winnen als de snelste
rechtsbuiten ter wereld meespeelt. Voor welke club zal Fabi
kiezen?

ISBN 978 90 216 2171 5

Verschijnt maart 2007

Uitgerekend Josje, de kleinste van de Wilde Voetbalbende, krijgt het aan de stok met de Vuurvreters. Die gevreesde Skatergroep eist de alleenheerschappij over de stad op. Ze pikken – vlak voor een belangrijke wedstrijd – de gitzwarte shirts van de Wilde Bende! Ten slotte belegeren de Vuurvreters zelfs de thuisbasis van de Wilde Bende, de Duivelspot. Het is duidelijk: met de Vuurvreters moet voor eens en voor altijd worden afgerekend! Dan heeft Willie, de beste trainer van de wereld, een plan. En alleen Josje, het geheime wapen, kan de Wilde Bende redden...

ISBN 978 90 216 2181 4

Verschijnt maart 2007

De Wilde Voetbalbende dingt mee naar het Stadskampioenschap Zaalvoetbal en kan zich ook nog plaatsen voor het Wereldkampioenschap Kindervoetbal! Dan krijgt Marlon een ernstig ongeluk tijdens het karten. Het is de schuld van Rocco, zijn beste vriend. Marlon mag zes weken niet meer voetballen en is na die tijd niet meer in vorm. Hij trekt zich van iedereen terug en praat niet meer tegen Rocco. Maar die heeft hem juist nodig, want zijn vader, de Braziliaanse profvoetballer João Ribaldo, wil weg bij Ajax. Hij is op zoek naar een andere club, in een ander land. Dat zou betekenen dat Rocco moet verhuizen. Zal Marlon zijn weg naar de Wilde Bende terugvinden? En kan de Wilde Bende Rocco's vader opnieuw enthousiast maken voor Ajax?

ISBN 978 90 216 2251 4

Verschijnt najaar 2007

Jojo gaat bij een ander gezin wonen. Dat gebeurt een week voor de Wilde Bende zich plaatst voor het Wereldkampioenschap Kindervoetbal, en kort voor de beslissende wedstrijd tegen VV Waterland om het kampioenschap van de E-junioren. In Jojo's nieuwe gezin lijkt elke dag voor hem Sinterklaas en zijn verjaardag tegelijk. Daardoor vergeet hij zelfs de Wilde Bende! Als hij merkt hoe belangrijk zijn elftal voor hem is, lijkt het te laat om terug te keren. Van zijn nieuwe ouders mag Jojo geen contact hebben met de Wilde Bende en het prachtige huis aan de Amstel wordt een gouden kooi voor hem. Maar zijn vrienden bedenken een plan om hem te bevrijden en Jojo moet beslissen waar hij echt thuishoort...

ISBN 978 90 216 2261 3

Verschijnt najaar 2007

De Wilde Voetbalbende vecht tot de laatste minuut om het
kampioenschap. Ze winnen en zijn in de zevende voetbalhe-
mel. Ook Annika heeft tot het succes bijgedragen. Op een
dag traint het vreemde meisje in haar eentje in de Duivelspot. De jongens raken geboeid door haar spel. Tot hun ver-
rassing duikt Annika als toeschouwer op bij de wedstrijd om
het kampioenschap van de E-junioren. Rocco vraagt Annika
zelfs of ze bij de Wilde Voetbalbende wil komen spelen. Maar
het eigenzinnige meisje slaat dit fenomenale aanbod af. De
leden van de Wilde Bende staan perplex en besluiten wraak
te nemen voor deze nederlaag!

ISBN 978 90 216 2271 2

Verschijnt in 2008

Sidderende kikkerdril! Nachtmerriepost vlak voor de zomer-
vakantie: een ander elftal beweert veel gevaarlijker te zijn
dan de Wilde Voetbalbende en daagt hen uit voor een wedstrijd op de eerste vakantiedag. Dat laten de leden van de
Wilde Bende zich geen twee keer zeggen. Vooral Marc wil
deze uitdaging graag aannemen. Vinden de ouders het goed
dat de leden van de Wilde Bende alléén op de fiets 120 kilo-
meter dwars door Nederland rijden? Hoe zal de tegenstander
zijn? De wedstrijd wordt de langste die ooit is gespeeld. Het
gaat om de eer van de Wilde Voetbalbende!

ISBN 978 90 216 2281 1

Verschijnt in 2008